JN193005

銀河英雄伝説外伝2
ユリアンのイゼルローン日記

田中芳樹

最前線イゼルローン要塞への引越をきっかけに，少年ユリアンは日記をつけ始める。尊敬する師父ヤン・ウェンリーのほか，その後輩アッテンボローに防御指揮官シェーンコップ，撃墜王ポプランとコーネフら，個性豊かな同盟軍の面々と過ごす日々を綴ってゆく。その日常の裏でヤンは，帝国内での権力闘争，そして同盟の一部で起きる不穏な動きに目を配りつつ，次なる戦いに思いを馳せていた。そんな中，帝国軍との大規模な捕虜交換式がイゼルローンで行なわれることになった。帝国軍を代表して訪れた提督は，常勝の将ラインハルトの腹心で，その名をキルヒアイスという……外伝第二弾。

銀河英雄伝説外伝 2

ユリアンのイゼルローン日記

田 中 芳 樹

創元ＳＦ文庫

LEGEND OF THE GALACTIC HEROES : SIDE STORY II

by

Yoshiki Tanaka

1987

目次

登場人物

●自由惑星同盟

ユリアン・ミンツ……………………兵長待遇軍属。一四歳
ヤン・ウェンリー……………………イゼルローン要塞司令官。大将。二九歳
フレデリカ・グリーンヒル…………ヤンの副官。大尉
ワルター・フォン・シェーンコップ……イゼルローン要塞防御指揮官。准将
ダスティ・アッテンボロー…………少将
オリビエ・ポプラン…………………撃墜王。少佐
イワン・コーネフ……………………撃墜王。少佐
ムライ…………………………………参謀長。少将
パトリチェフ…………………………副参謀長。准将
フィッシャー…………………………要塞艦隊副司令官。艦隊運用の達人。少将
アレックス・キャゼルヌ……………イゼルローン要塞事務監。少将

カスパー・リンツ……………………ヤンの護衛役。中佐
サックス………………………………輸送船団司令官。少将
イヴリン・ドールトン………………輸送船団の航法士。大尉
アレクサンドル・ビュコック………宇宙艦隊司令長官。大将
ドワイト・グリーンヒル……………フレデリカの父。大将
リンチ…………………………………エル・ファシルで民間人を見捨てて逃亡。少将
ジェシカ・エドワーズ………………代議員。戦争反対派の急先鋒。ヤンの旧知
ヨブ・トリューニヒト………………国家元首。最高評議会議長

●銀河帝国

ラインハルト・フォン・ローエングラム……宇宙艦隊司令長官。元帥。侯爵
ジークフリード・キルヒアイス……上級大将。二一歳

注／肩書き階級等は登場時のものです

銀河英雄伝説外伝2

ユリアンのイゼルローン日記

第一章　偶数年のできごと

七九六年一二月一日

今度イゼルローン要塞《ようさい》へ引越することに決まったとき、それを機会に日記をつけることにした。いつまでつづくかわからないが、ぼくがそう告げると、ヤン提督はもっともらしくうなずいたものだ。

「日記をつけるのはいいことだ。私はやる気はないけどね」

「どうしてですか、いいことだっておっしゃるなら、ご自分でなさればいいのに」

「だって、お前、私がなんでもかんでもやってしまったら、お前のやることがなくなるじゃないか。昔から言うだろう、息子が成長したときのために畑の雑草を残しておけって」

提督が〝昔から〟という言葉を使ったら、ぼくに反論できるはずはない。キャゼルヌ少将は、そういう場合は「出典を正確に言ってみろ」と反撃して、三回に一回は勝利をえるそうだ。それにしても、ヤン提督はイゼルローン要塞にキャゼルヌ少将を招いて事務をまかせたいと国防委員会に願いでているが、なかなか許可がもらえないそうだ。アムリッツァでわが軍が大敗したのは、キャゼルヌ少将の責任ではないのに。だけど、ヤン提督に言わせると、軍人が処罰されるのは処罰されないことより正しいのだそうだ。

それはそれとして、ヤン提督はぼくに厚い日記帳を買ってきてくれた。文字というものは手で書くものだ、と、ヤン提督は信じている。音声入力式のワードプロセッサーを、ヤン提督は心の底から軽蔑して、

「犬の鳴声だって文字にするばかな機械だ」

と言っている。提督はもともと機械というものに偏見をもっているのだ。

つい先だってまで、わが家には立体TV《ソリビジョン》のリモートコントロール・スイッチさえなかった。

「五体満足な人間が、立体TV《ソリビジョン》を見るのにリモコンを使わなきゃならない理由がどこにある」

と言っていたのが、急に変心したのは、あのヨブ・トリューニヒトが最高評議会の議長代理になってからだ。トリューニヒトの自信満々な顔が画面にあらわれるたびに、ヤン提督はソファーからとびおりてチャンネルを変えにいっていたが、さすがに労力のむだだと思ったらしい。リモコンを使うと一瞬でトリューニヒトの顔が消えるので、今ではすっかり気にいっている。ニュースの時間など、最初からリモコン・スイッチを片手に待ちうけている。トリューニヒトの顔が出てこずにニュースが終わると、なんとなくつまらなさそうに見えるほどだ。

ヤン提督のことばかり書いてしまった。すこしは自分のことも書かなくてはならない。

ハイネセンをたつ前の一週間は、ほんとうにいそがしかった。

月曜日に学校にあいさつに行ったとき、ブッシュ先生にひきとめられて、以後の予定がすっかり狂ってしまった。寮にはいるか下宿するかしてハイネセンに残るよう、しつこくすすめられたのだ。

「きみのために言っているのだよ、ユリアン。前線の要塞なんかに行ったら、世の中がせまくなる。きみは広い世界で多くの人々に会って、よりよく成長すべきだと私は思うね！」

ブッシュ先生はそう言うけど、口にはださない理由があることを、ぼくは知っている。ひとつは、ブッシュ先生がフライング・ボール部の部長で、ぼくがフライング・ボールの年間得点王だからだ。ぼくが入学するまで、ハロラーン校はリーグで万年二位だったのだから、ぼくの存在はブッシュ先生にとって重要な意味があるわけなのだ。

もうひとつの理由は、ブッシュ先生が、ヤン提督を保護者としてまったく信用していないからだ。「軍人としてはりっぱな人だ」と何度もぼくに言った。つまり、軍人以外としてはりっぱでないというわけだ。べつに反対する気はないけど、もうすこし陰険でない言いかただってあるだろう。とにかくぼくは自分の意思をとおした。

「お前ももの好きだなあ。このままハイネセンに残ってフライング・ボールのプロ選手にでもなったほうが気がきいてるぞ。保護者としての私の成長を期待されてもこまるよ」

ヤン提督は自分の欠点を知っているけど、あらためる気はないようだ。ぼくも、あらためてほしくなどない。

今日はこれぐらいでペンを置くことにしよう。明日もいそがしくなるだろうし、書くことを将来にとっておいてもいいだろうから。

七九六年一二月二日

宇宙船での長旅も、今日で終わりだ。明日はイゼルローン要塞に到着して、新しい生活がはじまる。はじまるかな？　そう思いたい。一昨年の春、ヤン提督の家の前にはじめて立ったときも、そう思ったし、それはまちがっていなかった。

それ以前の、二年間にわたる福祉施設での生活。その前は、さらに二年間にわたる祖母とふたりの生活。そしてそのスタートは、小学校の校長室に呼ばれて父の戦死を知らされたときだった。

「帝国軍という奴らは、じつにあくどい、けしからん連中だ。平和と自由と民主主義の敵であり、全人類の敵、文明の敵だ。どんなに多くの妻が、よき夫を帝国軍に殺されたか。どんなに多くの子供がりっぱな父親を殺されたことか……」

そんなふうに延々と無意味な話がつづくと、ぼくはさとるしかなかった——父が戦死したのだ、帝国軍に殺されたのだ、と。八歳の子供でも、そう思った。あのときの校長先生の態度は、もしかしたら正しかったのかもしれない。八歳の子供にショックをあたえないための、心づかいだったのかもしれない。そう思いたいところだけど、校長先生が、

「……だからきみも、お父上がそのように邪悪な勢力との戦いに身を捨てたことを、誇りに思わなくてはならない」

と話を結んだとき、はっきりわかった。校長先生がもっとも重要な部分を省略したことを。たかが八歳の子供に見ぬかれるていどの、あからさまなおろそかさだった。

だけど、とにかくそれはぼくの人生のひとつの転機にはちがいなかった。

自分の人生の転機も他人から通告されることが多かった、と、ヤン提督は言う。

「親父が事故死したときも、士官学校に入学したときも、エル・ファシル方面に配属されたときも、他人からそう告げられたんだからね。逆に言うと、私自身、他人に人生の転機を告げたことが何度もあるし、人生はたがいに宣告しあうことで成立しているんだな」

どう言ったらいいのだろう。ヤンは、自分の経験に普遍的な人生法則をあてはめたがる――これはアレックス・キャゼルヌ少将が言ったことで、残念ながらぼくが考えだした言いかたではない。

ぼくに紹介状を手わたすとき、キャゼルヌ少将は――当時は准将だったが――にやりと笑って片目をとじてみせた。

「まあ気長にゆっくり飼いならしてやってくれ。いろいろ常識はずれの奴ではあるが、まだ見

こみがないわけじゃない」
さて、飼いならされたのは、いったい誰だろう。

七九六年一二月三日

初対面、初対面、初対面の日だった。何回、はじめまして、と口にしたことだろう。ていねいにと心がけたつもりだ。ぼくはヤン提督の被保護者ではあるけど、身分は兵長待遇の軍属にすぎない——どちらにしても、めんどうな呼ばれかただ。とにかく、ぼくが思いあがったり生意気な態度をとったりしたら、ヤン提督が悪く言われるのだから、気をつけるべきなのだ。

印象に残る対面からあげていこう。まず、なんといってもイゼルローン要塞。直径六〇キロの銀色の球体を肉視窓から見たとき、思わず声をあげてしまった。いままで何度も立体TV《ソリビジョン》やホログラフや写真やで見ていたけど、やはり実物は印象がちがう。なんというか、そう、圧倒的とでもいうのだろうか。

接近から入港、さらに港をこの足で踏みしめるまでの四〇分間、ぼくの呼吸器と循環器はフル回転していた。こんなに興奮し緊張したのは、「ヤン大佐の家へ行くように。彼がこれからきみの保護者になるのだ」と福祉施設の先生に言われ、その意味がのみこめたとき以来だ。あのとき、ぼくは身体より大きなトランクのおともをしていた。そして今日は、ヤン提督のおともだ。

「ほら、はぐれるんじゃないぞ」

とふりかえる提督の背中にはりついてタラップをおりた。数百の手が、いっせいにイゼルローンの新司令官にむかって敬礼のかたちをとった。一一時四〇分だった。

ヤン提督のフラット、ぼくのあたらしい住居はプラス二〇二六レベルのD四ブロックにある。ハイネセンのシルヴァーブリッジ街にあった官舎より広い。まず玄関ホールがあって、それに食堂兼居間がつづく。図書室兼談話室、書斎、寝室、客用寝室、ぼくの寝室、キッチン、二つのバスルーム、二つのトイレットルーム、それに納戸《なんど》。もうひとつ、使いようのない広いだけの部屋があって、書斎におさまりきれない本が、いずれこの処女地を侵略するにちがいない。これだけは自信をもって予言できる。

ヤン提督が――そしてぼくも――イゼルローンに不満があるとすれば、美しい庭園もふくめて、すべての風景や天候が人工物であるということだろう。

むろん、こんな不満は、ばかげている。公園の芝生も雑木も土も、自然そのままではないけど、でも本物だ。惑星ハイネセン北半球の気候に連動して四季の変化もあり、森林公園ではキャンプも楽しめる。

キャンプといえば、いつだったか、寒い晩にシルヴァーブリッジ街全域のエネルギー供給システムが故障して、ひと晩、ヤン提督とぼくは、寒冷惑星でのキャンプ気分を味わったことがある。居間のスプリンクラーのスイッチを切り、カーペットをとりさって、軍用の固形燃料で湯をわかし、毛布にくるまり、非常用のキャンドルで明かりをともして、軍用食糧のチリコンカーンやチキン・トマト・スープを食べた。ハーモニカを吹いたり、怪談話をしたりして、ささやかな、楽しい一夜だった。翌朝、毛布にくるまって寝ているところ、軍の施設局住宅課の係員たちがやってきて、あきれて室内を見わたしていた。その後、官舎利用要項に〝屋内での焚火《たきび》およびそれに類する行為を禁ず〟というとんでもない条項がくわえられた理由を、ヤン提督とぼくだけが知っている。

イゼルローン要塞とだけでなく、そこに住む人々とも対面した。まず、イゼルローン要塞の防御指揮官《ディフェンス・コマンダー》であるシェーンコップ准将という人だ。

ワルター・フォン・シェーンコップ准将は、三〇歳をすこしこえたくらい、背の高いハンサムな人で、目と髪の色はグレーとブラウンの中間のように見える。もともと帝国貴族の出身だそうだけど、かたくるしい人ではないようだ。むしろその反対だろう。気さくで、冗談も言うし話もよくわかる人らしい。

ただ、甘い人ではけっしてないような気がする。話のあわないやつ、話してもむだなやつ、と思われたら、そのとたんに見はなされてしまうのではないか、と思う。

「ユリアン・ミンツとはお前さんか。ヤン提督から話は聞いているが、いずれは正式に軍人になるつもりか」

「ええ、軍人になりたいんです」

軽蔑されたとは思わないが、シェーンコップ准将の反応は皮肉っぽかった。

「軍人といっても、いろいろあるだろう。オペレーターか、おれみたいな陸戦隊員か、それとも工兵か。あいまいなことでは、ヤン提督だって迷惑だろうぜ」

へたな答えかたをしたら冷笑されるような気がして、ぼくは内心で首をすくめた。

「できれば参謀とか……」

「あの人に参謀が必要とは思えんね。あの人より智略にすぐれた軍人が、宇宙のどこにいる？いるとしたら帝国のローエングラム侯ぐらいだろう。お前さんは、ヤン提督を智略の面でささえてやれるつもりかね」

皮肉を言う相手が子供だからといって、この人は容赦しないのだ。ぼくは反射的に答えた。

「でも、大脳にだって小脳が必要でしょう」

正しいたとえだったかどうかはわからないが、シェーンコップ准将は、おもしろそうにぼくを見て笑った。ぼくが言ったことの内容より、とにかく反論したという事実のほうを気にいったのだと思う。

「なるほど、小脳は運動神経をつかさどるそうだしな」

シェーンコップ准将は、ぼくに射撃と白兵戦技を教えてやると約束してくれた。わが軍で最高級の射撃と白兵戦技の名手が、そう約束してくれたのだ。うれしいけど、さぞ厳しい授業になるだろう。そのていどは想像がつく。あくまでも、実施されれば、だけど。

初対面の人ばかりではないのは、むろんのことだ。ハイネセンからべつの宇宙船で到着した人々のなかには、ヤン提督やぼくにとって旧知の人がいた。

そうやって再会した人のなかには、ダスティ・アッテンボロー少将がいる。アムリッツァの敗戦後に昇進した、かずすくない人のひとりだ。

「いや、あのときはもうだめだと思ったよ。こちらが一発撃つあいだに、敵は二三発ぐらい撃ってくる。数のすくないほうが陣形は乱れていて、指揮の系統も混乱している。こいつは負けだ、こんな状勢になって勝てるとしたら、戦いとは甘いものだ、とつくづく思ったね」

そのくせ、自分が戦死するとは、この人はまったく考えなかったのだという。

「ひとり残らず戦死するなんてことはありえないし、生き残る人間がいるとしたら、おれだろうと思ったよ」

いくらいばってもいいのだ。あのウランフ提督の第一〇艦隊が文字どおりの全滅をまぬがれたのは、この人の功績だとヤン提督は話してくれた。それは大胆で的確な指揮ぶりだったのだという。ヤン家にきて冗談ばかり言っている姿からは想像もつかないけど。

このほか、今日会ったオリビエ・ポプラン少佐とイワン・コーネフ少佐とは、ヤン艦隊が誇る二大撃墜王《エース》だ。性格はずいぶんちがうようにみえるけど、ぼくが見かけるときはたいていふたりいっしょだから仲がいいのだろう。

女性を見ると、ポプラン少佐はかならず声をかける。コーネフ少佐は女性から声をかけられても、めんどうくさそうに返事をしない。それぞれがひとりで行動しているなら、そんなに目だたないだろうけど、ひと組になると、ほんとうに対照的だ。

「こいつは同盟軍で二番めの名パイロットなんだぜ。そうは見えないだろうけど」

と、ポプラン少佐はコーネフ少佐の肩をたたいた。本当はなにを言いたいのか、よくわかる。コーネフ少佐は、ぼくの視線をうけるとすまして答えた。

「ミンツくんに言っておくが、最高のパイロットは戦死して墓のなかだよ」

やはりいいコンビなのだろうとぼくは思う。ひょっとしたら、とんでもない誤解かもしれないが。

七九六年一二月四日

昨日書いたことを、一部訂正する。ぼくはシェーンコップ准将と初対面だとばかり思いこんでいたけど、そうではなかった。イゼルローン攻略戦の直後に、ほんのすこし顔をあわせていたのだ。でも、ヤン提督を統合作戦本部で待っていたときに、ちょっと名前をきかれただけだったので、すっかり忘れてしまっていた。だいいち、そのときシェーンコップ准将のほうは、名前を教えてくれなかったんだもの。それにしても、シェーンコップ准将も人が悪いと思う。

そしらぬ表情で、「ユリアン・ミンツとはお前さんか」なんて言うのだから。

「そうさ、いい教訓になったろう。ワルター・フォン・シェーンコップはとんでもない悪党なんだぜ」

と、オリビエ・ポプラン少佐が力説する。この人は、なぜかぼくを気にいってくれたらしくて（えらそうにいうと、ぼくもこの人を気にいっているのだ）、カフェテラスでお茶を飲んでいるときに、ぼくの姿を見つけて、テーブルに呼んでくれたのだ。テーブルには、イワン・コーネフ少佐もいて、ぼくのためにわざわざ椅子をひいてくれたので、恐縮した。

「よくきてくれた、ミンツくん。今日はきれいな赤頭巾ちゃんがなかなか通りかからないので、狼さんは機嫌が悪くてね」

それで、ちょっと話をしているうちに、シェーンコップ准将の話題が出てきたのだ。どうも、われながら記述の手ぎわが悪いけど、他人に見せる文章でもないから、いいだろう。

ポプラン少佐が言うには、少佐が悪人を退治しようとしたとき、シェーンコップ准将がじゃましたのだ、という。

「どんな悪人です？」

「味方殺しの無能野郎さ。おれの愛機に搭載されてる機銃の照準を狂わせやがった。あと五秒あったら、当分、他人の迷惑にならないようにしてやれたのに、シェーンコップのでしゃばりが……」

「要するに個人的なうらみだよ。とりあう必要はないから、ミンツくん。熱いうちにレモネードをお飲み」

コーネフ少佐が笑いながら言うと、ポプラン少佐は、ふくれっつらをして、

「ふん。そりゃお前さんは寛大にもなれるだろうさ。四機も墜《お》とせばな。おれはあのとき一機も墜とせなかったんだぞ」

「戦場がアムリッツァにうつってから、いっぺんに五機、墜としたから、いいじゃないか。けっきょく、トータルすればおなじ数だけ墜としたんだから」

「それが気にいらない。本来なら、三機ぐらいはおれがお前さんをリードしていたはずだ」

そんな話がつづいて、楽しかったので、長居をしてしまった。

名パイロットふたりと別れて、あわてて宿舎に帰ったら、ヤン提督は、居間のソファーで寝ころがっていた。

「どうしたんです、どこかお悪いんですか」

「いや、起きてると腹がへるものだから、すこしでもエネルギーの消耗をへらそうと思って」

ぼくはいそいで夕食のしたくをした。エル・ファシルやアムリッツァの英雄が餓死したりしたら、後世の歴史家に申しわけない。

欠食《けっしょく》青年を待たせるわけにいかないから、肉と野菜と米と粉スープを鍋にほうりこんでてばやく、ごった煮をつくったのだけど、ヤン提督はよろこんで全部、食べてくれた。永遠に、空

腹は最高の調味料ということらしいと思った。

　それにしても、ヤン提督の身分なら、たとえ戦地にいたって、豪華な料理が食べられるのに、ぼくのつくる食事を待っていてくれる。この期待と信頼にこたえなくては、と思うけど、いちど家にもどるとまた出ていくのが、めんどうなだけかもしれない。

七九六年一二月五日

　まだぼくはイゼルローン要塞のほんの一部しか知らない。毎日つぎつぎとハイネセン方面から軍人やその家族が到着するが、港にあふれたかと思うと居住地区に吸いこまれてしまう。イゼルローンには軍人と民間人をあわせて五〇〇万人ぶんの居住施設がととのっているので、広さについては最下級の兵士からだって不平は出そうにない。ただ、バスルームの湯が出にくいとか、電灯がちらつくとか、納戸のドアがきしるとか、日常レベルで一〇〇点満点とはいえないことが、いくらでもある。そういう苦情を誰が処理するのか。ひとつひとつは小さなことだが、それが一〇〇万も集まると、ゼッフル粒子の貯蔵庫に花火を投げこむようなことになる。それをどう解決するのか——ヤン提督が考えているのは、キャゼルヌ少将にすべてをまかせることだ。いや、ちがう、すべてを押しつけることだ。ヤン提督はきっと作戦を考える以外のことはなにもしたくないのだと思う。

「しなくてすむなら、呼吸だってしたくないだろうよ、あいつはね」

と、キャゼルヌ少将がいつか言ったことがある。その言葉をぼくが伝えると、ヤン提督はきまじめな表情で考えこみ、やがてしみじみとつぶやいた。

「そいつは悪くないアイデアだなあ」

そうだろう、あいつはそれほどのなまけ者だ、と、キャゼルヌ少将はうなずいた。

ぼくの意見は、すこしことなる。ヤン提督は家事がうまかったり芸術的天才だったりする必要は、すこしもない。コックがフライパンをあやつってオムレツをつくるように、ヤン提督は艦隊をあやつって勝利をつかむ。それ以外のことができないからって、非難されるいわれはない。むろんキャゼルヌ少将は承知のうえでからかっているにちがいないのだ。

七九六年一二月六日

イゼルローンには、ぼくとおなじ年ごろの女の子たちが何百人も何千人もいる。考えてみれば当然のことだ。要塞と艦隊とをあわせて二〇〇万人の軍人がここには住むはずで、その半分が結婚して妻子をもっている人たちなのだから。

だけど、現実に、女の子の大群が道路にあふれているのを見ると、ぼくはたじろいでしまう。にぎやかで、はなやかで、熱帯の鳥の群みたいな彼女たちをさけて横道にはいったら知人に出くわした。

「こらこら、なさけないまねをするな。そんな覇気のないことじゃおれの後継者になれんぜ」

神出鬼没のポプラン少佐にからかわれてしまった。この人はいつ訓練をしているのだろう。軍服のときも私服のときも、女の子に声をかけてばかりいる。それにしても、今日はめずらしく相棒がいない。

「女に声をかけるのは男の義務だ。おれは義務から逃げようとしないだけさ」

などと自己肯定しながら、ポプランは、女の子たちが歌っている歌について教えてくれた。

「ヘイ、ジャン・ピエール、地獄がお前に媚《こび》を売っている
ヘイ、ジャン・ピエール、お前に似あうのは偽《いつわ》りの微笑《ほほえみ》
ヘイ、ジャン・ピエール、魔王《ルシフェル》をとじこめた地獄の氷をくだいて
ヘイ、ジャン・ピエール、お前のグラスにうかべよう……」

ジャン・ピエールとは誰のことだろう。訊いてみたが、ポプラン少佐もはっきりした答えは知らなかった。とにかく西暦《AD》を使用していた時代の、宇宙の放浪者だったようで、「おれみたいに女にもてでしようがなかったらしい」とよけいな解説をポプラン少佐がした。なんでも、この人の終焉《しゅうえん》の地と主張する惑星が一〇以上あるそうだ。

「おれが落とした女の出身惑星は、その一〇倍はあるがね」

とつけくわえるのを、ポプラン少佐は忘れなかった。けっきょく、今日の事件はそれくらい。

七九六年一二月七日

朝、トーストしたライ麦パンにバターをぬりながら、ふと考えた。ぼくがこんなことをしているあいだに、同盟でも帝国でも多くの人たちが歴史をうごかそうとしていて、実際に歴史はうごいているのだろう。

ぼくは、べつにあせっているわけではない。あせってどうなるものでもない。ただ、ちょっと気の遠くなるような思いがしただけだ。どこかで誰かが、ぼくをふくめた数百億人の運命を指先にのせている。

「あせることはないよ、ユリアン、朝食は昼までにすませればいいし、葬式をやるのは死んでからでいい」

ヤン提督がそう言ったのは、ぼくが早期修了制度を使って学校をやめようかと考えたときだ。ぼくがむりに軍人になることはない、と、ヤン提督はおりにふれて言う。それは二年八カ月前にぼくがヤン家の一員になって以来、変わらない姿勢だ。

「二人前食べるような奴には見えなかったな」

とヤン提督はあるとき言った。キャゼルヌ少将とのあいだで、なにか冗談のやりとりがあったようだったが、その点についてはヤン提督もキャゼルヌ少将も笑うだけで話してくれない。

このふたりは、ハイネセンでは会うと悪口の交換会ばかりやっていたが、ヤン提督をぼくの保護者にしてくれたのはキャゼルヌ少将だ。そして今日もヤン提督はイゼルローンに彼を呼ぼうと首都《ハイネセン》へ通信文を送っているのだ。

七九六年一二月八日

いたって平穏な一日。こうしているあいだにも歴史は——と考えるのは、やめにした。精神衛生上よくない。歴史をつくる可能性のある人のそばに、ぼくはいる。一四歳の身で充分すぎることではないか。

七九六年一二月九日

幾何の通信授業がさっぱりおもしろくなかったので、勝手に読書の自習をした。こういうところだけヤン提督の少年時代に似ていても、こまるのだけど。

『無実で殺された人々』という本は、ヤン提督の書棚から引っぱりだしてきたのだが、警官のでっちあげ《フレームアップ》や裁判官の無能や検察官の独善のためにまちがって死刑にされた人々のことが書かれている。上官の汚職を告発しようとしたため、かえって帝国軍のスパイというぬれぎぬを着せられ、銃殺されたあとで無実が判明した人の話などを読むと、怒りと悲しみと恐怖がこみあげてくる。民主主義の国でもこんなことがあるのだ。

ヤン提督の字で書きこみがあった。

「このような書物が出版されねばならない、ということは悲しむべきである。同時に、このような書物が出版されえたということ、それを禁止する法律がないということは、ともに喜ぶべきである」

夕方、提督に本を返して、無断借用をわびると、提督は笑って赦《ゆる》してくれた。このごろ怪談やコント集しか読まないもので、借用されたことに気がつかなかった——そう言ったあと、まじめな表情になって、

「ユリアン、この本は士官学校では有害図書に指定されていたんだよ。民主国家体制の尊厳をそこねるという理由でね、ポルノなんかといっしょに、見つかれば没収さ」

ところが、禁じられれば読みたくなるもので、教官や風紀委員の目を盗んで、ヤン提督はこの種の本を読みまくった。〝有害図書愛好会〟という組織ができて、アッテンボロー提督など、本の入手、その隠匿《いんとく》、まわし読みの方法、さらに風紀委員との抗争に熱中したという。

「だから、アッテンボローは、組織化活動に熱をいれすぎて、あまり本は読んでいないはずさ」

ヤン提督は笑ったが、その笑顔は、ぼくにはたいそう深いものに見えた。どう深いか、と問

われてもこまるけど。

ぼくに言えるのは、ヤン提督が普通の軍人ではないということだけだ。どう表現したらいいのだろう。提督の頭脳はもっとも優秀な軍人のものなのに、魂はそうではない、とでもいうのか。

ヤン提督は歴史家になりたかったのだ。ヤン家の一員になってから、そのことはたぶん一〇〇回以上も聞かされた。いやいや軍人をやって二〇代で将官になった人もめずらしいだろう。好きなこととむいていることはちがうのだろうか。でも、ヤン提督は、作戦をたてることは、けっして嫌いではないと思う。それを職業にしているのがいやなのではないだろうか。そう思って、ちょっと訊いてみたことがある。

「半分はあたってるね」

というのが答えだった。それ以上は教えてくれなかった。

もしかして、作戦をたてることに熱中している自分自身が嫌いなのかしら、とも思うが、それについてはまだ訊きそびれている。

七九六年一二月一〇日

ハイネセンから送信されてくるニュースによると、銀河帝国の上層部では激しい権力抗争がつづき、内乱の発生も考えられるという。

「それは予想じゃなくて期待だね。判断の材料にすべきじゃないな」

ヤン提督はそう言うのだけど、内乱の発生は提督も予想していることなのだ。どのみち、大貴族たちの勢力と、新興のラインハルト・フォン・ローエングラム侯爵の勢力とが共存できるはずはない。時期が早いか遅いかの差だけが問題だ。大貴族たちにしてみれば、時間がたつほどローエングラム侯の実力が増大するのは見えすいているから、はやく戦端をひらきたいところだろう。いまローエングラム侯は、すでに宇宙艦隊司令長官に就任していて、軍務尚書や統帥本部長をしのぐ実力があるのだそうだ。ぼくと、たった六歳しかちがわないのに。

「ローエングラム侯は天才だよ」

とヤン提督は何度も言うし、彼の勝利をうたがっていないようだ。ぼくは、とても気になっている。

駐留艦隊の演習がおこなわれたが、結果はあまりよくなかったようだ。アッテンボロー提督が不機嫌そうに言った。

「まだまだ烏合《うごう》の衆だな。ワインやウイスキーと同じだ、いい味が出るまで時間がかかる。そうヤン提督に言っておいてくれ、ユリアン、いや、ミンツ軍属」

言われたとおり、それを伝えると、ヤン提督は三次元チェスで王手《チェック》をかけられたような表情になって、ぬいだ黒ベレーを左手の指先でくるくる回転させた。

「そうか、まだ統一行動に時間がかかるか、しかたないことではあるが……」

「ちかいうちに艦隊が出動するのですか？」

訊いた直後に、ぼくは後悔した。自分がひどく小利口に思えるのは、こういう瞬間である。ヤン提督は黒い目でぼくの顔をみて、おだやかに答えた。

「そうならないようにと願っているんだけどね。そうなるかもしれないね」

この二年と八カ月ほどのあいだ、ぼくはヤン提督からどなりつけられたことがない。ぼくが優秀だからではなく、提督が寛大だからだ。ヤン提督が気分を害したり、ぼくのやりかたがまちがっていると言いたいときには、頭をかきながらぼくの名前を二度呼ぶ。「ユリアン、ユリアン」と。

このときの表情は、それにちかかった。ぼくはたぶん顔を赤くしたと思う。出すぎたことを言うな、と、どなられたってしかたないところなのだ。ぼくはときどき自分が甘えて増長しているのではないかと思うことがある。ほかの人に気を使ったって、ヤン提督に不愉快な思いをさせてはなんにもなりはしないのだ。

ぼくの使っている日記帳に、国父ハイネセンの言葉として、〝自由、自主、自尊、自律〟という言葉が書かれている。ぼくは、ヤン提督からどなられないだけ、四番めが大切だろう。

いまさらいうのもおかしなものだけど、ヤン提督は家事については勤勉でも有能でもない。もし提督が脳細胞の一〇〇万分の一でも家事にむけたら、料理でも掃除でも名人になって、ぼくなど必要でなくなるだろう。だから、提督には家事に無能であってほしい。

ほんとうは、いまだってぼくは提督には必要でないのかもしれない。料理はコックがいればいいし、掃除も洗濯も、機械もあれば専門家もいる。きちんと従卒をつけることだってできるのだ。

じつは、ぼくはこわいのだ。ヤン提督に、もうお前はいらないよ、と言われるのがこわいのだ。そのことが、ぼくにはわかっている。だからぼくは、そう言われないよう努力したいと思っている。「きみはいい子すぎる」と他人から批判されたこともあるが、それは誤解だ。もっとも、ヤン提督以外の人間から誤解されてもいっこうにかまわないけど。

七九六年一二月一二日

昨日は日記を書かなかった。朝から熱っぽくて頭が痛かったのだ。風邪をひいてしまったらしい。味も匂いもよくわからなかったので、朝食の野菜スープがむちゃくちゃに辛くなって、ヤン提督をびっくりさせてしまった。そのときはなにも言わずにきれいに食べてくれたので、夕方になって残りのスープの味見をしたとき、はじめてそれがわかった。自己嫌悪。

ヤン提督を送りだしてベッドで寝ていたら、昼ごろフレデリカ・グリーンヒル大尉が見舞にきてくれた。ヤン提督が話をしてくれたのだ。

フレデリカさん、じゃない、グリーンヒル大尉はとても綺麗でやさしい人だ。そのことに気づかないのは、ヤン提督だけではないかと思う。とにかくにぶい人だから。

去年の夏、アルビカの氷河湖に休暇旅行にいったとき、となりのバンガローになんとかいう提督の奥さんが泊まっていて、ヤン提督にモーションをかけたときも、まるで気づかなかった。なんとか夫人も、ずいぶんもの好きだと思うけど、ぼくでも気づくことに提督は気づかないのだ。それとも、気づかないふりをしていたのだろうか。ひょっとして、あの、美人だけどけばけばしい提督夫人が好みでなかっただけだとか……。

とにかく、グリーンヒル大尉は、ぼくの熱を測って薬をのませてくれた。そして、ぼくのために昼食までもってきてくれた。コーンの濃スープがとてもおいしかったのでそう言うと、大尉はかるく肩をすくめた。

「わたしがつくったのじゃないのよ。士官食堂のシェフにたのんだの。わたし、料理は苦手でね、努力はしてるのよ。でも、料理のほうで、わたしの努力に応《こた》えてくれないのよね」

グリーンヒル大尉みたいに記憶力にすぐれた人が、料理の手順をおぼえられないのは不思議だと思うけど、ヤン提督が家事の基礎ひとつできないのと、似たようなものかもしれない。

熱いスープを飲んで、汗をだしてしまうと、ずいぶん気分がよくなった。グリーンヒル大尉が帰ってからシャツを着かえ、ベッドのシーツもとりかえて、今度はかなり快適にひと眠りした。

夕方になると、またグリーンヒル大尉がやってきて、ヤン提督が艦隊運動のフォーメーションの件で遅くなると教えてくれた。

「今日は一二月一一日？　あら、アッシュビー元帥の戦死なさった日だわ。ハイネセンにいれば学校がお休みなのにね」

ブルース・アッシュビーという人については、ぼくも歴史で教わった。七一〇年生まれ、七四五年没。死後に元帥になった。用兵の天才だったそうだけど、ヤン提督とくらべてどうだろう。

ヤン提督は二九歳で大将になった。これはアッシュビー提督より四年はやい。いっぽう、アッシュビー提督は士官学校では首席だったそうで、〝中の上〟だったヤン提督とは比較にならない。でも首席でもフォーク准将のような人もいることだ。

また、ブルース・アッシュビーという人はわりと女好きだったそうだ。そこもヤン提督とはちがう。でも、〝ダゴン会戦〟のリン・パオ元帥も女好きだったそうだから、ヤン提督のほうがわが軍の伝統にはずれているのかもしれない。

女の子のことは、ぼくにはよくわからない。もしかしたら人間の女より異星人《エイリアン》の男のほうが話がつうじるかもしれない。これはちょっとグリーンヒル大尉には言えないことだ。

それにしても、ただヤン提督が遅くなるだけだったら、グリーンヒル大尉がわざわざやってくることはないのに、と思っていたら、やがて『電気羊亭《エレクトリック・シープ》』というレストランから食事がとどけられた。これは、この三日間にたてつづけに開業した民間人経営の店のひとつだ。つまりグリーンヒル大尉はぼくに夕食をごちそうしてくれたわけだ。リゾットぐらいしか食べられなかったけど。

ヤン提督が帰宅したのは二二時三〇分。電子レンジであたためた『電気羊亭《エレクトリック・シープ》』ご自慢のエビのコキールなどを食べながら、ヤン提督はカレンダーを見て、「ああ、今日はアッシュビー提督の記念日か」と言い、ぼくがせがむと、すこしだけ歴史上の話をしてくれた。

「真実ってやつは、誕生日とおなじだよ。個人にひとつずつあるんだ。真実と一致しないからといって、嘘だとは言いきれないね」

それはやはりブルース・アッシュビー提督にかんすることで、彼が戦死する直前にどういう態度だったか、たがいに矛盾する多くの証言があることをさしているのだった。

アッシュビー提督は、三度結婚したが、最初の奥さんを愛しつづけていたともいうし、いやもっとも愛していたのは義理の妹だったともいう。最後の戦い――第二次ティアマト会戦にのぞむとき、戦死を覚悟していたともいい、帰還後に政界へ転出しようと思っていたともいう。それぞれが、信頼に値する人の証言である。第二次ティアマト会戦は、誰も予想しない大勝利におわり、帰還の途上で、重傷のアッシュビー提督は息をひきとった。その五一年後にいろいろと考えさせられた日だった。

七九六年一二月一三日

今日、ヤン提督がとんでもないことを言った。夕食のあとだ。紅茶をいれていると、いきなり問いかけてきた。

「ユリアン、お前がもし銀河帝国のラインハルト・フォン・ローエングラム侯爵だったらどうやって大貴族どもに勝とうと思う？」

ぼくはティーカップから湯をこぼしてしまうところだった。いくら仮定とはいっても、ぼくにローエングラム侯の戦略を問うのはむりだ。ひよこに鷲《わし》の狩猟法をたずねるようなものだと思う。

「わかりません、そんなこと」

「わからなくてもいいから」

と、言うことがますますひどくなる。ぼくもこまって、後日の宿題ということでその場を逃がれた。提督はいつかは思いだすにちがいない。ない智恵をしぼって答えを考えるしかないようだ。

七九六年一二月一四日

今日はシェーンコップ准将に戦斧《トマホーク》を使う白兵戦技を教わるはずだったのだが、お流れになった。防御指揮官《ディフェンス・コマンダー》のオフィスに行ったら、ひとりでカード占いのまねごとをしていたブルームハルト大尉という若い人が、

「准将は、ちょっととりこみごとがあって、『蜜蜂と蜂蜜《ビー・アンド・ハニー》』という店に行っているよ」

と、なぜかくすくす笑いながら教えてくれた。

礼を言って、その場所へ行ってみると、そこはいくつもの個室をもった民間人経営のクラブであることがわかった。はいるのをためらっていると、シェーンコップ准将が出てきて、シャツのボタンをはめながら言った。

「やあ、坊や、悪いが今日の訓練は延期だ。心のせまい女どもに博愛と寛容の精神を教えこむ用ができたのでな」

　ぼくは抗議した。

「准将、ごつごうがあるのはしかたありませんけど、ぼくは坊やと呼ばれるのは不本意です。やめていただけませんか」

　するとシェーンコップ准将は平然として、

「そうか、悪かった、気をつけるよ、坊や」

　その反応を、すこしは予想していたので、ぼくはすぐ言いかえした。

「ええ、気をつけていただきます、ご老人」

一瞬、猛獣の尾を踏みつけたような気がしたが、シェーンコップ准将は苦笑(だと思う)しただけで、吠えかかったりはしなかった。

とにかく、戦斧《トマホーク》の訓練に使うはずの時間があいてしまったので、ぼくはプラス一八〇九レベルの森林公園に出かけることにした。つい昨日、ラインハルト・フォン・ローエングラム侯の戦略についてヤン提督に問われ、宿題にしてもらった件がある。それについて、ちょっと考えてみたかった。軍人になりたくなかったヤン提督から宿題をだされて、軍人になりたいはずのぼくがいつまでも答えられないのでは、ちょっとこまる。

森林公園をえらんだのは、人にわずらわされないためと、もうひとつ、ヤン提督がそこを昼寝の場所として使いはじめたとヤン提督自身に聞いたからだ。なんでも、人工天体内の森林公園には蚊がいないので、その点だけは自然のものにまさるそうだ。なるほど、実際に昼寝をした者でなくては気がつかないことだ。

目印の場所でヤン提督に出あった。声をかけると、提督はびっくりしたようだったが、芝生の上に起きあがってぼくを手まねきした。

提督は歴史上の仮定というものの皮肉さを考えていたという。さいわい、〝宿題〟の話は出なかった。

ヤン提督の話は、つぎのようなものだった。

誰でも知っているように、ルドルフ・フォン・ゴールデンバウムは銀河連邦《USG》の共和政を打倒し、独裁者からさらに専制者になった。彼のために何億人もの人々が殺された。だが、もし、彼が銀河連邦の政治家だったときに何者かによって暗殺されていたとしたら、その暗殺者は〝何億人もの生命を救った偉大な救世主〟と呼ばれることはなく、〝前途ある民主政治家を虐殺した狂人〟と呼ばれるだろう。歴史的評価というものはそういうものだ。また、銀河帝国の〝流血帝〟アウグスト二世を子供のころに殺害した者は、残虐な幼児殺しとして処刑され、社会からも非難されるだろう。現実の幼児殺害者のなかに、べつの次元では救世主とされるような人間がいるかもしれない……。

ヤン提督は、くたびれて皮肉っぽい気分になっているようだ。理由のひとつは、ハイネセンの〝お偉方《えらがた》〟と、なにかやりあったらしい。お偉方というのが国防委員会なのか統合作戦本部なのかはわからない。超光速通信《FTL》を使ってまでやりあった原因もなにかはわからない。キャゼルヌ少将の人事のことではないようだけど、ではいったいなんだろうか。ようやくぼくが知ることができたのは、ハイネセンのビュコック提督と話しあいたい、そうヤン提督が考えているという点だけだ。

「超光速通信《FTL》ではだめなんですか?」

そうぼくが問うと、ヤン提督はうなずき、ぶつぶつと口のなかで言った。どうやら、ウランフとボロディンが生きていたら、ということらしい。

アムリッツァ会戦では多くの戦死者が出たが、ヤン提督が残念がっているのは、ボロディン

提督とウランフ提督だ。ふたりともりっぱな軍人だったそうだけど、

「あのふたりが生きていたら私はもっと楽ができるんだ」

とは、あまりに正直すぎる言葉のような気がする。

それにしても、シドニー・シトレ元帥は隠棲《いんせい》してしまったし、ヤン提督が尊敬する上官といえば、グリーンヒル大将とビュコック大将ぐらいになってしまった。戦歴のゆたかな兵士たちも多く亡くなったし、何万隻という艦艇も失われた。この損害からたちなおるのには長い時間がかかるだろうし、その時間を帝国軍が貸すかどうか、ヤン提督はそのことをとても気にしているようだ。

七九六年一二月一五日

ヤン提督にとっても、ぼくにとっても、吉報がとどいた。アレックス・キャゼルヌ少将がイゼルローンにやってくるのだ。ヤン提督がしつこく願いでただけでなく、ハイネセンでビュコック提督らも運動してくれた結果らしい。

「めんどうなことは、全部キャゼルヌ先輩に押しつけてやれるぞ」

そう言ってヤン提督は踊りだしかねない喜びようだ。ぼくは途中からいささか心配になった。キャゼルヌ少将が軍用輸送船でイゼルローンに到着するのは、来年の一月一〇日ごろだという。

まさかそれまで〝めんどうなこと〟を処理せずにいるつもりではないだろうと思うが……。

とにかく、ヤン提督は機嫌がよくなり、それと同時に、雑然としたデスクワークからもう解放された気分で、作戦計画にふけりはじめたようだ。それを見ているぼくもなんとなく気分がいい。

それにしても自分が幸運なのか不運なのか、ぼくはときどきわからなくなる。いまはたしかに幸福だし、もともとは幸福だった。二歳のときに母が死に、八歳のときに父が戦死し、一〇歳のときに祖母が亡くなって、それから二年間、福祉施設にいたのだ。母のことは全然、記憶にない。祖母はやたらと口やかましくて、ぼくに話しかけるときには命令形と禁止形を使うことが多かった。なにかよいことがあると自分の教育の効果にして、悪いことがあれば、ぼくが祖母の恩を自覚していないからだと言った。祖母が亡くなったとき、たいして悲しくなかったのは、ぼくが冷血な人間だという証拠だろうか。

書いてみて気がつくのは、ぼくの人生は偶数の年齢のときに大きく変化するということだ。今年はイゼルローンでの生活がはじまったが、二年後や四年後にもなにかがおきるかもしれない。

それにしても気になるのは、ぼくは幸福だが、ヤン提督にとってぼくは幸福の条件になっているのだろうか、ということなのだ。そう考えることじたい、だいそれたことだとはわかっているけれど、やはり気になる。何日か前にも書いたが、ぼくはヤン提督に不要物だと思われたくないのだ。どんなささやかなことでもいい、役にたちたいと思う。それ以前に、ぼくは、提督の邪魔にならないことを、まず心がけるべきなのだが。

　ついさきほどかわした会話を思いだす。夕食後の紅茶に手をつけもせず、ヤン提督が考えこんでいるので、あたらしい紅茶をいれなおしたあとで、ぼくは訊ねてみた。

「なにを考えておいででしたか？」

「他人に言えるようなことじゃないよ。まったく、人間は勝つことだけ考えていると、際限なく卑しくなるものだな」

　それで、ヤン提督がラインハルト・フォン・ローエングラムに勝つ方法を考えていたことがわかった。ぼくはなにか気のきいたこと、ヤン提督の役にたつようなことを言いたかったのだけど、なにも思いつかず、ただソファーのそばに立っていた。ヤン提督は気分を変えるように、ぼくを見て、

「ところで、シェーンコップ准将に射撃を教わってるそうだが、どんな具合だ」

「准将がおっしゃるには、ぼく、すじがいいそうです」

「ほう、そりゃよかった」

「提督は射撃の練習をちっともなさらないけど、いいんですか」

　ヤン提督は笑った。

「私には才能がないらしい。努力する気もないんで、今では同盟軍で一番へたなんじゃないか

な」

「じゃ、どうやってご自分の身をお守りになるんです？」

「司令官がみずから銃をとって自分を守らなければならないようでは、戦いは負けさ。そんなはめにならないことだけを私は考えている」

それを聞いたとき、ぼくはうれしくなった。この点ではまちがいなく提督のお役にたてる。

「そうですね、ええ、ぼくが守ってさしあげます」

「たよりにしてるよ」

笑いながら、ヤン提督は紅茶のカップを手にした。つくづく、ぼくは自分をかえりみずにはいられなかった。つい何日か前には、ラインハルト・フォン・ローエングラム侯爵と自分との距離を考えた。今度はヤン提督と自分との距離を考えてしまう。

ローエングラム侯との距離は、じつのところ考えても意味がない。彼は専制国家の人だ。ぼくは専制国家の軍人になりたいと思ったことはない。ぼくは民主政治を破壊者の手から守る道具の、ほんの一部分になりたいのだ。

誰に話す必要もない。自分自身にたいしてだけ確認しておこう。ぼくにとって、ヤン・ウェンリーと、民主主義と、国父ハイネセンの建国した自由惑星と、自分自身の未来とはひとつのものだ、と。これは気はずかしい言いかただとわかっている。ぼくの能力と存在がとるにたりぬものだということも。ぼくはまだ何年もヤン提督の後ろ姿を追いつづけるはずだ。そして、そうしているかぎり、自分が巨大な存在だなどと思いあがることはさけられると思うのだ。

第二章　はじめての給料

七九六年一二月一六日

奇妙なうわさが要塞のなかに流れている。

幽霊が出るというのだ。

「首なし美女の幽霊さ」

とポプラン少佐が言ったので、そうヤン提督に告げたら笑われてしまった。考えてみれば当然だ。首がないのに美女かどうかわかるわけがない。

「まあしかしポプランらしいな。幽霊でも首なしでも、とにかく美女にしたがる」

ヤン提督はそう言い、ポプラン少佐はというと、

「顔がなくても美女なら美女とわかるのが歴戦の勇者ってものだ」

「連敗をかさねても歴戦は歴戦だからな」

いうまでもなく、これはコーネフ少佐だ。

それはさておいて、軍隊と学校には、古来、幽霊話がつきものなのだそうだ。上官にいびられて自殺した兵士の幽霊とか、妻に未練をのこして戦死した新婚早々の士官の幽霊とかぼくでもいくつかそういう話を知っている。

「一艦ひと幽霊というからな、イゼルローンともなれば幽霊の一万や二万いるだろうさ」

ポプラン少佐が言うと、コーネフ少佐がうなずいて、

「幽霊だけで二個師団ができる。しかも不死身のね。薔薇の騎士《ローゼンリッター》でも勝てやしない」

そんなふうに冗談口をたたいていたあいだはよかったけれど、噂もどんどん成長するものらしくて、もっともらしい説がとなえられるようになってきた。

「わが軍は巨大なイゼルローン要塞のすべてを把握しているわけではない。コンピューターの管理もおよばぬ無人のフロアやブロックが、いくらでもある。じつはそこに帝国軍の残兵がひそんで破壊工作の機会をうかがっている。それを幽霊と見あやまったのだ」

というのだが、たしかにイゼルローンの内部を隅から隅まで知っているという自信は誰にもない。幽霊話を笑いとばした人たちも、この説を聞くとさすがに笑おうとはせず、いささか薄気味悪そうな表情になる。ヤン提督も苦笑しかけてやめてしまったほどだ。

ぼくの経験では、ヤン提督はけっこう怪談や恐怖小説のたぐいが好きだった。むろん話として好きなので、神秘主義を真剣に奉じている人とは友人づきあいする気がないそうだ。そういう人は精神主義者とつうじる臭気があるという。

だが、イゼルローン要塞の内部を、帝国軍の残兵がうろついているとあっては、異次元の恐怖を楽しんでもいられないだろう。

「ばかばかしい話だが、放ってもおけないだろうなあ。不安ってやつは恐怖《パニック》と猜疑《さいぎ》の卵だからな」

とはいっても、そう深刻でもないように、ぼくには見える。帝国軍の残兵とやらがいるなら、たとえばアムリッツァで同盟軍が大敗したときなんらかの破壊工作にでも出たらよいものを、なにもしなかったからだ。

「そのうちなんとかするさ」

と言うが、そのうちとはいつのことか、ぼくには見当がつかない。

七九六年一二月一七日

いまこの日記を書いているのは、けっきょく、助かったからだけど、今日はさんざんだった。熱いシャワーをあびて、パジャマに着かえて、バターと蜂蜜をとかしたミルクの湯気をあてながら日記を書いていると、遠い昔のできごとのような気がする。

幽霊とやらの目撃談が多発している場所を調査したらどうか、と言いだしたのはシェーンコップ准将である。了承したヤン提督は、言いだしっぺのシェーンコップ准将自身が調査の指揮をとるものと思っていた。ところがシェーンコップ准将は笑いとばしていわく――

「冗談じゃありません。自分で指揮をとらなくてはならないのなら、こんなあほらしいことを提案したりしませんよ。もの好きのお調子者がいくらでもいるでしょう」

なるほど、と、ヤン提督は変なところで感心して、〝もの好きのお調子者〟を募集することにした。

そもそもイゼルローン要塞にはたくさんの部屋があって、とても使いきれないので、あちこちに別荘をもつことだってできるそうだ。

「おれだったら各階《レベル》ごとに愛人をかかえるな」

シェーンコップ准将が言った。彼ならやりそうだとヤン提督は言うが、冗談はさておいて、要塞内のフロアは細分すれば〝九〇〇〇以上、一万未満〟にもなる。機械設備だけのフロアもあれば、〝わずかの物資と大量の空気〟だけのフロアもある。本気で調査するとしたらたいへんだ。

〝もの好きのお調子者〟はすぐに見つかった。ヤン提督も予想していたらしいし、ぼくも想像していたのだが、オリビエ・ポプラン少佐が立候補したのだ。でもぼくは、ポプラン少佐がつぎのような提案をすることまでは予想しなかった。

「どうだ、ユリアンもいっしょに探検に行ってみないか。退屈しないですむぞ」

どうしようか、と、ぼくは思った。するとイワン・コーネフ少佐がさりげない表情と口調で言ったのだ。

「ああ、ミンツくん、ポプランがせっかく勧めているんだ、彼の悪意を無にしないほうがいいね」

「コーネフ少佐はいらっしゃるんですか？」

「世の中には、なりゆきとかつきあいとかいうものがあってね」

「じゃ、ぼくも行こうかな」

「あ、そうか、ユリアンはおれよりもコーネフのほうを信用するのか」

ポプラン少佐はわざとらしくひがんでみせた。

こうして、たった三人の探検隊が組織された。なにしろほかには誰も同行を希望しなかったので。もともとヤン提督は本気で調査などする気はないらしい。ポプラン少佐をチーフにした探検隊というなら冗談のうちですむ、と思っているようだ。「弁当をもっていけよ」と言ってぼくを送りだしたくらいだから。

一一時に、ぼくたちはマイナス〇一四一レベルの〝調査〟にむかった。

「ここにはヨブ・トリューニヒトの面《つら》よりでかいドブネズミが棲《す》みついているって話だぜ」

悪意むきだしでポプラン少佐が言う。ぼくがトリューニヒトという政治家を嫌いなのは、大部分ヤン提督の影響だけど、ポプラン少佐の場合はどうなのだろう。

〝口の悪い奴は信用するが、口のうまい奴は信用しない〟という点で、ヤン提督と共通するのだろうか。それとも、トリューニヒト氏が女性に人気があるのが気にくわないとか。ありそうなことだと思う。

マイナス〇一四一レベルは、かつて帝国軍が可燃物の倉庫に使っていた場所で、火災ののちに一〇年以上も放棄されていた。わが軍の手に落ちてからも、むりに使う必要もないまま、手をつけられずにきたのだ。幽霊が出るといわれれば、たしかにそれらしい環境ではある。

二重のドアをあけるとき、ぼくを力づけるつもりか、ポプラン少佐が言った。

「心配するな、ポプラン家の辞書に不可能の文字はない」

「失敗とか挫折《ざせつ》とかいう文字はあるけどね」

イワン・コーネフ少佐が冷静に指摘したので、ぼくは笑ってしまった。絶妙のタイミングというのは、こういうものをいうのだろう。

ドアのなかは、暗黒の世界だった。照明も破損したままなのだ。懐中電灯の明かりが闇をなぐ。〇一四一レベルの区画の広さは、五キロ四方、天井高は二五メートルほど。換気システムも停止しているので、よどんだ古い空気が波だって顔を打ったときは、せきこみそうになった。

「暗いですね」

あたり前のことを言ったのは、じつは不安だったからかもしれない。

「心配するな、おれの方向感覚は彗星よりもたしかだ」

ポプラン少佐は豪語したが、三〇分も暗いなかを進むと、たちまち自信を失ったらしい。

「こいつは迷子になったかな」

「彗星より正確な方向感覚とやらは、どうなったんです？」

「あれは宇宙《そら》を飛んでいるときのことだ。床や地面に足をつけていると、どうもだめだな」

いまさらそんなことを言われてもこまる。

だだっ広い場所だけに、かえって方向がわかりにくい。四方に壁がなく、床には無秩序に油脂やら樹脂やら合金やらの燃えかすとか鉄骨や機材の残骸《ざんがい》がころがっている。およそ、自分の位置を確認する方法がない。まさか慣性航法システムとか赤外線可動モニターとか低周波発生器とかが必要になるとは思わなかった。何匹かのネズミ以外に、なんにも出あわない。

「おれたちが遭難したら、つぎの調査隊はそういったものを用意することになるだろうよ」

なお歩きまわってからポプラン少佐が言ったが、〝遭難〟という言葉が妙にリアルに聞こえた。半分ひとりごとのようにコーネフ少佐が異議をとなえる。

「そうかな、吾々《われわれ》が行方不明になったら、喜んでそのままにしておくんじゃないかな」

「あのな……」

その後もさんざん歩きまわったあげく、

「一四時三〇分」

おちつきはらってコーネフ少佐が言ったので、おそい昼食にすることにした。どんなときでも腹はへる。床に防水布をしき、埃《ほこり》がしずまったところでバスケットをひらく。

「ところで、ここはどこだと思う？　おれが思えば、その場所になるのか、ええ？」

「どこだろうと知ったことか」

不機嫌そうにポプラン少佐はコーネフ少佐に答え、サンドイッチをかじった。

「このさい幽霊でもいいから出てきて道案内してもらいたいもんだ。案内料に、女の幽霊だったらキスしてやるし、男の幽霊だったらスパンクを贈呈するがなあ」

こういうとき、うめき声でも聴こえたら話が進展するのにな、と、ぼくが思っていると、ほんとうにうめき声が聴こえたのだ。おどかすように、ではなく、救いをもとめるような弱々しいひびきがあった。ぼくは腰を浮かしかけたが、ふたりの撃墜王《エース》は平然としてサンドイッチを食べおわり、ポットのコーヒーまでおかわりしてから、悠々と立ちあがった。

ひとかたまりになった鉄骨の小山のあたりから、うめき声はもれてくるようだ。懐中電灯の光がその一角に流れこんだ。

「コーネフ、幽霊の主食はなにか知ってるか」

「よく知らないが、お前さんより健康に留意しているようだな」

チーズ、ライ麦パン、ビタミン添加チョコレートといったものが散乱しているのが、ぼくの目にとまった。つまりは消化器をもった幽霊などいるわけもない。

ぼくは懐中電灯の光を鉄骨の山にむけながら一歩踏みだしたが、足場が悪かった。平衡を失ってよろめき、片ひざをついてしまった。

どしん、と、誰かにぶつかったのはそのときだ。

「あ、ごめんなさい」

反射的に言ってから、ぼくは正面を見なおした。懐中電灯の光の輪のなかで、コーネフ少佐とポプラン少佐が奇妙そうにぼくを見ている。

ぼくは飛びあがった。いるはずのない四人めに、ぼくはぶつかったのだ。コーネフ少佐が腕をのばしてぼくの身体を勢いよくひきよせ、ポプラン少佐はブラスターを抜きはなった
活劇はおこらなかった。ぼくが触れたのは半死半生でうずくまっている人間だった。せっかくのかっこうつけが未発に終わったので、ポプラン少佐が舌うちしてその身体をかるく蹴った。

外に出てから、ひとしきり騒動があり、暗闇の住人は病院に収容された。アムリッツァ会戦の前後、けんかざたをおこして行方をくらましていた同盟軍の下士官が、二カ月以上ここに隠れていて、盲腸炎をおこしたのだということだ。食料を盗みに出没していたので、幽霊よばわりもむりのないところだった。とんだ枯尾花《かれおばな》だ。

で、埃と不機嫌にまみれたぼくたち三人は、シェーンコップ准将からあきらかにからかい半分、おほめの言葉をいただき、それぞれの宿舎に帰ったのだ。疲れた！　おまけにむなしい。

せめて明日に疲れが残らないことを祈りたい。

七九六年一二月一八日

現在、ぼくの公的な身分は〝兵長待遇軍属〟で、兵長にふさわしい給料ももらえる。毎月一四四〇ディナール。経済的には独立した生活ができるけど、まだ一四歳だから完全な公民権はあたえられず、法律上はヤン提督の保護下にある、というわけだ。この結果、ヤン提督にしてみると、先月まで政府から支給されていた養育費はとりやめになる、経済上の扶養家族がいなくなったため税金が高くなる、いっぽうで法律上の保護者としての義務は残る――というわけで、いいことはあまりない。

ヤン提督がこまかい経済的観念をもっていたら、せめて今年いっぱいは扶養家族でいるように、と主張したかもしれない。でも、大軍をうごかすための補給にはうるさい人だけど、家庭レベルでは大ざっぱな人だから、

「こづかい、たりるか?」

「生活費、たりるか?」

しか訊かれたことがない。たりる、と答えれば、

「たりなくなったら言えよ」

だし、たりないと答えると、預金カードをわたしてくれる。そしてたいてい、カードをわたしたことを忘れている。

ヤン提督の脳細胞は、いつも望遠鏡で時間と空間の彼方を見つめているのだと思う。ちかく

のことは視界にはいらないのだ。それがけしからん、という人もいるだろうけど、提督みたいな人がすこしはいたほうがいいとぼくは思う。多数派になるとちょっとこまるかもしれないが。

ところで、ぼくは魔法が使えない。だから昨夜、日記を書きかけて眠ってしまったぼくをベッドにはこんでくれたのは、ヤン提督以外の誰でもないだろう。お礼のつもりで、紅茶にいれるブランデーの量を、今日は増やした。提督の表情を見ると、つまりは全部の事情をわきまえているにちがいない。そういう人なのだ。

七九六年一二月一九日

イゼルローン要塞が建設されたのは、宇宙暦《SE》にして七六三年から七六七年にかけてのことだ。それまでこの宇宙には帝国軍の小規模で短期的な根拠地がいくつか散在しているだけで、大きな基地はむしろ回廊の帝国側の出口にあった。

イゼルローン要塞は、ときの皇帝オトフリート五世が、重臣セバスティアン・フォン・リューデリッツ伯爵に命じて建設させたのだという。

この人は、前線の指揮官としては、〝戦えばかならず負ける〟と言われた人なのだそうだ。無能、というのとはすこしちがうらしい。きちんと計画をたて、理論にしたがって兵をうごかすのに、〝敵が理論どおりうごかず〟負けてしまう。

「叛乱軍の奴らは、用兵理論をわきまえない不とどき者ぞろいだ」

と怒っていたそうで、こんな変人もいたのかと思うと、なんとなく帝国軍に親しみを感じてしまう。

まあ負けてばかりで重臣でいられるわけもないので、軍事土木とか補給とか、理論どおりにやれる仕事では功績をたてたらしい。

もともとイゼルローン回廊に要塞をつくることを最初に言いだしたのは、ダゴン会戦当時の帝国の皇族だったステファン・フォン・バルトバッフェル侯爵という人だそうだ。この人も不幸な生涯だったそうだけど、実際に要塞をつくりあげたリューデリッツも、予定よりはるかに費用がかかった責任をとらされて自殺したという。なんでもオトフリート五世という人は、たいそうしまり屋だったそうで、建設の途中で何度も後悔して建設を中止しようとしたそうである。そのまま中止してくれれば、イゼルローン攻略で一〇〇万以上の戦死者が出ることもなかったし、いまここでこうしてぼくが日記を書くこともなかったろう。

とにかく、バルトバッフェル侯も、リューデリッツ伯も、不幸ではあったけど死後まで名を残したわけだ。そして、こういった過去の人たちの、人生と業績の延長上に、ぼくの現在の人生がある。――これをぼく自身が考えたのなら、一四歳としてはなかなかのものだと思うけど、じつはヤン提督の述懐《じゅつかい》を書きうつしただけのことだ。

歴史というものは過去で完結しているわけではなくて、まかれた種が地にもぐっても、いつかは実る。これはヤン提督からではなくて、今日読まされた通信教育の歴史のテキストにあった文章だ。

そのとおりにはちがいないけど、ちょっとあたり前すぎるようだ。

ぼくは目下のところ、過去の歴史より、現在歴史をつくりつつある人、たとえばヤン提督や帝国のローエングラム侯のほうに関心がある。歴史の結果より原因のほうに属したいと思う。で、提督においしいお茶をいれてあげるのは、歴史の創造に参加していることになるのかなあ。何日か前に書いたように、あせるわけではないけど、早く一人前になりたい。

七九六年一二月二〇日

故ブルース・アッシュビー提督の最初の奥さんがまだ生きている、という話を、ヤン提督から聞いた。

おどろいたけど、考えてみるとアッシュビー提督が戦死していなければ、今年八六歳のはずだ。奥さんが生きていても不思議ではない。提督とおなじ年で八六歳の奥さんは、ハイネセンの首都郊外の自宅で、メイドに世話されながら、夫からくる手紙を待って毎日をすごしているのだそうだ。

「だってアッシュビー提督は五〇年も前に亡くなっているじゃありませんか」

「ところが手紙は来るんだよ、ミステリーだろう」

ミステリーの答えはこうだ。アッシュビー夫人（離婚したから、もと夫人、かな）は自分で自分あてに手紙を書くのだ。六〇年以上も昔に恋人からもらった手紙を自分の手で書きうつし、自分の住所へさしだすのだ。そして、愛と情熱にみたされた文面を読みあげて看護婦に言う。

「こんな年になっても、あの人はわたしにむかって、愛している、愛しているとくりかえすんですよ。年甲斐もありませんねえ」

むろん、夫人は自分が自分に手紙をだしていることなど知らない。夫人に理解できるのは、夫がだしたはずの手紙に、自分への愛が記されていることだけだそうだ。

ぼくはなんと言ってよいかわからなかった。あわれとかみじめとか表現することと、これは次元がちがう。傍《はた》で見ていればたまらないけど、本人は幸福なのだろうか。それとも、幻想のなかでさえ、夫の愛情を文章で確認して、それを他人に言ってみなければ不安なのだろうか。アッシュビー提督も、ずいぶんと罪な人だと思う。

「おいおい、あまり深刻に考えるなよ。お前はまだ一四なんだ。事実より真実のほうが必要な人のことが、わかるはずはないんだから」

「提督にはおわかりなんですか？」

「私も二〇代だから、まだよくわからないな」

ごくさりげなさそうに提督は言った。

提督は、不老不死でいられるなら人類の興亡の歴史を辺境の惑星からながめていたいという。でもどうせ年をとったらぼけるにちがいないから、若いうちに死にたい、でも早く死んだら生き残った連中にすきほうだい悪口を言われるだろうなと、悩みのたえないところなのだ。おつかれさま。

七九六年一二月二一日

イゼルローンへ来て、そろそろ三週間がたつ。〝辺塞《へんさい》、寧日《ねいじつ》なし〟という古い言葉があるそうで、最前線の要塞に平安な日々はないという意味だそうだけど、いまのところは敵襲もなく戦闘もない。もっとも、ある日突然、理由もなく戦いがおこるということはありえない。いまごろ何千光年もはなれた銀河帝国の奥深くで、大艦隊に出動命令がくだっているかもしれない。それこそ、後世の歴史家でなければ、わからないことだ。

イゼルローンは最前線の要塞であると同時に、ここから敵地へ出撃する艦隊の後方基地でもある。その機能は、たいへん重要なものだそうだ。

「戦争でもっとも大切なのは補給と情報だ。このふたつができなければ、戦闘なんてできやしない。戦争をあえてひとつの経済活動にたとえれば、補給と情報が生産で、戦闘が消費にあたる」

ヤン提督はそう言う。昔からそう考えていたが、アムリッツァの大敗で、いちだんとそう思えるようになった、と。

「世の中でいちばん有害なバカは、補給なしで戦争に勝てると考えているバカだ」

とも言う。信じられない話だが、実際に人類の歴史上、そんな戦争指導者はいくらでもいたそうだ。その結果、掠奪やそれにともなう破壊、放火、殺人が大量に発生し、それもできなくなって兵士たち自身が餓死していったという。それこそ、そんな人は過去だけの存在であってほしいと思う。

七九六年一二月二二日

今日は記念すべき日になるだろう。よい意味ではなく悪い意味でだ。イゼルローン要塞が同盟軍のものになってから最初の殺人事件が発生したのだ。

「文学上の殺人ではなくて社会上の殺人だな」

ヤン提督が評したように、犯人も被害者もはっきりしていて、去年の夏のように名探偵ヤン・ウェンリー氏の登場する余地はないようだ。ことは憲兵《MP》と法務士官の権限内でおさまるらしい。

こういうことは日記であっても実名をださないように、と、ヤン提督に言われたので仮名を使うが、A下士官とB下士官が民間人のミスCをめぐって昔からあらそっていて、それがイゼルローンで再燃し、B下士官を嫌ったミスCがはずみで彼を射殺してしまったのだという。で、そのA下士官というのは、先日、ぼくをふくめたポプラン探検隊がマイナス〇一四一レベルの暗闇と埃のなかから助けだした盲腸患者なのだ、ともいうのだけど、病院のほうは面会謝絶をとおしていて、要するにはっきりしたことはなにもわからないのだ。書いているぼくでさえ、いらいらする。事件現場になったバーは当分は閉鎖で、軍に権利料をはらったばかりの経営者は気の毒に泣面《なきつら》らしい。ミスCめあてにバーに押しかけていた兵士たちのあいだではこの噂でもちきりだ。

フレデリカ・グリーンヒル大尉は、この件でヤン提督が管理責任を問われるのではないか、と心配している。シェーンコップ准将は、国防委員会がたとえそうしたくとも、ヤン提督を最前線からはずすことはできないだろうと言う。

「安全な場所から命令だけしたいという奴らばかりだからな。帝国軍がいつかは攻撃をしかけてくるのは、わかりきっている。司令官を更迭《こうてつ》しようなどとは考えんだろうよ。だいいち、それほど大げさな事件でもないさ」

いっさいをMPにまかせはしたが、ヤン提督はほんのすこし不機嫌そうで、ほんのすこしこだわっているようでもある。裏になにかある、と思っている。というより、どうせならなにかあってほしい、と思っている。口にだしては言わないけれど、書類をめくる顔にそう書いてあるのだ。はたしてどうなるだろうか。

七九六年一二月二三日

第一報だけで事件の全容をつかむことはむずかしいようだ。昨日の殺人事件も、ぼくなどには想像できないような展開をみせているらしい。

ヤン提督がハイネセンとの通信にむかう時間がいちだんと多くなったし、グリーンヒル大尉もこの件にかんしては口がかたくて、

「どうも年を越しそうね」

とだけしか教えてくれない。アッテンボロー少将やポプラン少佐は、ぼくから情報を聞きだそうとするくらいだから、疎外されていることまちがいない。アッテンボロー少将など、ミルクシェイクをおごって損した、とぶつぶつ言ったあと、ポプラン少佐にしゃべらないよう、えらく念をおした。もしかして、あのふたり、事件の真相をめぐって賭けでもしているのじゃないだろうなあ。ありそうなことだ。

七九六年一二月二四日

今年も、もうすぐ終わる。あと一週間とすこしで、宇宙暦《SE》七九七年がやってくる。ぼくは一五歳になる——なるはずだ。それまでにイゼルローン要塞が帝国軍の攻撃をうけて花火のかたまりになっていなければ。

年をとるということになると、ヤン提督は深刻だ。来年、三〇歳になるのが、いやでたまらないのだ。ぼくには全然、実感がわかないけど、提督は、「二〇代の最後の一年間が、こんなに早くすぎさるとは思わなかった。戦火に青春を奪われてしまった」などと言う。あげくに、

「どうして一年は一二月で終わりなんだ。一三月あれば皆が喜ぶのに」

「誰も喜びませんよ」

「だって一年に一三回給料がもらえるぜ」

「新年のお休みが一三カ月に一度になってしまいますよ」

ヤン提督が反論を考えているらしいあいだに、ぼくはプレゼントをさしだした。つまり今日は、ぼくにとって最初の給料日なのだ。最初の給料をもらったら提督になにかプレゼントを買おうと思っていたのだ。

「ユリアン、お前はできすぎだよ。私なんぞ一四歳のころには、親父からこづかいをまきあげることばかり考えていたがな」

そうほめてくれたけど、そのあとがよくない。

「きっと家庭教育の差だな」

こういうのを、我田引水《がでんいんすい》というのではないだろうか。でも、とにかくヤン提督は喜んでくれて、プレゼントをうけとってくれた。

むろん、たいしたものではない。指ではじくとすごくいい音のする、紙のように薄い手づくりのティーカップだ。じつはブランデーグラスを買いかけて、危険に気づいたのだ。

夜はハイネセンの『三月兎亭《マーチ・ラビット》』にすこし似た感じのレストランで食事をした。ヤン提督は、お酒をロゼワイン一杯しか飲まなかったけど、まさかこれがプレゼントのお返しだったりして。でも提督の酒量が増えているので、このごろちょっと心配ではあるのだ。

七九六年一二月二五日

今日はごく平穏にすぎた。気になっているのは、先日ヤン提督からだされた〝宿題〟のことだ。帝国のローエングラム侯は、貴族連合に勝つために、どんな方法を使うか。でもぼくにわかるくらいなら、同盟軍だって苦労しないだろうけどなあ。

「わかりません」ではあまりに芸がなくて恥ずかしいけれど、実際、ローエングラム侯爵はどうやって強大な貴族連合に勝つつもりだろう。政治的には新宰相リヒテンラーデ公爵の支持があるが、いざ戦争突入ということになれば、そんなものは意味がない。軍事的には統一こそが力だというから、貴族連合を分裂させるための策略をなにか使うのだろうか。

それ以上のことは、ぼくにはわからない。提督にはきっとわかっているのだろうな。

七九六年一二月二六日

ヤン提督のお使いで『四〇人の盗賊の洞窟』という民間人経営の店へ行く。本、各種のゲーム、パズル、VTRソフトなどを売っている店だが、開店したばかりで、まだ商品の半分以上が荷づくりされたまま床の上だ。

その店で『最新版・架空地名辞典』という重い本を買う。ずっと昔にヤン提督が注文していたものだ。ハイネセンの本店から、提督を追いかけてイゼルローンまでやってきたのだ。

そこでイワン・コーネフ少佐に会った。ポプラン少佐といっしょだとあまり目だたないが、明るい色の髪と目をした、すっきりとした容姿の人なのだ。

いずれおもしろいクロスワード・パズルを教えてくれるとコーネフ少佐は約束してくれた。おだやかで感じのいいこの人が、ポプラン少佐とくむと毒舌のミサイル射手になるのは、ほんとうに不思議だ。

「無害な化学物質でも、有害なのと化合させると、やはり有害になるだろう。コーネフとポプランはその種の関係なのさ」

とヤン提督は言う。とすると、触媒《しょくばい》として提督自身も関係してくるのではないか、と思ったけど、それは口にしなかった。

ちょっと反省するのだけど、ぼくはヤン提督や周囲の人たちに密着しているので、こういった人たちのほんとうの価値を見失っているかもしれない。まさかこの日記が後世の歴史家に資料に使われるとは思わないけど、〝自由惑星同盟軍《フリー・プラネッツ》における最強の部隊は、こういう変人の集団にすぎなかった〟と断定されてはこまる。ただ、ヤン提督の用兵ぶりや、シェーンコップ准将の勇戦や、ポプラン少佐とコーネフ少佐の武勲を、ぼくはまだ直接見る機会がない。今度戦いがあれば、ぼくはヤン提督のそばにおいてもらえるはずだ。そこではじめてぼくは〝奇蹟《ミラクル》のヤン〟の威名を確認することができるだろう。

七九六年一二月二七日

政界や軍上層部や要塞司令部では、なにかと悩みもあればトラブルもあるのだろうけど、さしあたりぼくはヤン提督の被保護者・兼・従卒として紅茶の味かげんやシャツのクリーニングを気にしていればいい。ぼくにはけっこうそれらが楽しかったりするわけで、スケールが小さいといわれてもいいから、こういう日がずっとつづけばいいな、と思ったりもする。

休日をひかえた夜に、ジャスミン・ティーと月餅《ユエピン》をかたわらに置いて、〝エル・ファシルおよびアスターテおよびイゼルローンおよびアムリッツァの英雄〟と三次元チェスをやり、環境

VTRから無害な音楽が流れていたりすると、早く一人前の軍人になれなくてもいいな、という気になるのが不思議だ。

ヤン提督は三次元チェスが弱い。ぼくは最初、提督からこのゲームを教わったのだけど、すぐに恩師を追いぬいてしまった。べつにぼくに才能があるわけではない。提督はチェス歴一五年で、その間ほとんど進歩していない、と自分で言っている。テクニックもそうだろうけど、そもそも、ゲームをやっている最中に、べつのことを考えていることが多いようだ。提督にとって、三次元チェスは、戦略的な思考をめぐらすためのかるい儀式ではないかと思う。士官学校にいたころは、授業開始のベルがそうだったかもしれないけど、いまはそういうものがないから。

「王手詰み《チェックメイト》！」

「あれ、いつの間にこんなことになったんだ」

ゲームじたいはあっけなくすんでしまったけど、ぼくはある予感がして、ちょっと落ちつかなかった。例の〝宿題〟のことをヤン提督が思いだしそうな気がしたからだ。ジャスミン・ティーを提督のカップに（ぼくがプレゼントしたやつだ）そそぎながら、ぼくは先手を打つことにした。もともと興味のあるテーマではあったけど、帝国軍がふたつの陣営に分裂したとき、同盟軍はどううごくのか、それに帝国軍はどうたいするのだろうか？

「そりゃあ私が同盟軍の総司令官だったら……」

言いかけて提督は頭をかいた。

「いや、この仮定はまずいな。もし私がローエングラム侯に敵対する大貴族だったら、同盟軍にへいこら頭をさげて、攻守盟約を結ぶね。帝国と同盟の相互不可侵、領土の一部割譲《かつじょう》、思想犯の釈放、なんでも約束してさ」

「そんな気前のいい約束していいんですか？」

「約束はするさ。だけど守りはしないね」

おだやかな口調で、えらくあくどいことを提督は言う。

「こちらの戦力はなるべく温存しておいて、ローエングラム侯の軍と同盟軍とを激突させる策《て》さ。両方がくたくたに疲れきったところで、全戦力をたたきつける。ローエングラム侯は滅び、同盟軍は追い返され、大貴族どもにとってはめでたしめでたしだが……」

まずそんなことにはならないだろう、自力だけでローエングラム侯を撃破できる、と思いこんでいるのが大貴族どもの大貴族どもたるゆえんだから――

「ローエングラム侯にとっても貴族連合にとっても、いちばんこわいのは、同盟軍に漁夫の利をしめられることだ。貴族連合が優勢になれば、ローエングラム侯を応援し、情勢が逆になれば、貴族連合に力を貸す。この場合、協力を拒否すれば敗北しかないから、大貴族たちもうけいれざるをえない。こうやって延々と戦火がつづき、双方が共倒れになる。道義的にはともかく、政戦両略という点からいえば、同盟軍がとるべき、これが最上の策《て》だ」

「同盟軍の最上層部はそうするでしょうか」

「うーん……」

「そうだ、それよりもローエングラム侯はその危険に気がついているんでしょうか」

提督はぼくを見て、うなずいた。

「そう、ユリアンはいいところに目をつけた。私が考えるていどのことは、ローエングラム侯はとっくに気がついているさ。対策も講じているはずだ……」

あとのほうはひとりごとになって、提督は腕をくんだ。

「分裂させるとして、誰がその首謀者になるか、というところが問題だなあ……」

それきり提督が考えこんでしまったので、ぼくは三次元チェス盤をかたづけ、お茶をいれなおした。ぼくが提督に協力できるとしたら、せいぜいこれくらいだ。それでも、なにもできないより、ずっといい。

七九六年一二月二八日

昨夜考えすぎたため眠りが浅く、もともと低血圧ぎみなので頭がぼうっとしている。眠気ざましが必要だ——ヤン提督が言う。わが家にはコーヒーが置いてない。コーヒー党のお客がきても、提督は喜んで紅茶を飲ませる。コーヒーを買いに行こうか、と思っていると、朝の食卓についたヤン提督が、ティーカップに白ワインをそそいでいるのを発見した。どうやら最初からそれが目的だったらしい。

「一杯だけにしておいてくださいね」

できるだけおもおもしくそう言ったら、提督はうれしそうにうなずいた。

戦乱が一世紀半もつづいている時代だから、孤児は何千万人もいる。そのなかで、ヤン・ウェンリーという保護者を持つ孤児はただひとりなのだから、ぼくはやはり幸福なのだ。このことは何度確認しておいてもよいと思う。

七九六年一二月二九日

要塞のなかがあわただしい。さいわい、戦いにそなえてのことではなく、新年のパーティーをひらく準備で浮き浮きしているのだ。

「最前線にありながら新年パーティーなどで浮わつくとは」

と、眉をひそめる人もいるが、ヤン提督は、スピーチさえ述べなくてすむならパーティーもいいだろう、と言う。その隙をついて攻撃してくる余裕は、帝国軍にはない。艦隊戦なら一撃離脱して後方の脅威をのぞき、反転して正面の敵とたいする電撃の用兵も可能だが、イゼルローン要塞にたいしてその策《て》はとれない。時間がかかれば後背《こうはい》に国内の敵を迎えることもありうる。そのような意味での冒険主義を、すくなくともローエングラム侯はとらないだろう、とヤン提督はおだやかに断言した。

「司令官の言うとおり。それに、戦争なんていつでもできるが、新年パーティーは年に一度きりだ。どちらが重要か、自明の理だ」

異口同音に言ったのがシェーンコップ准将とポプラン少佐だったのに、ぼくは納得した。〝相手が売るつもりのない喧嘩でも買ってやる〟のが、ポプラン少佐の〝武人の魂〟なのだそうで、〝気にくわない奴にむりやり喧嘩を売らせる〟のがシェーンコップ准将の〝平和哲学〟なのだそうだ。このふたり、精神的には兄弟だと思う、と面とむかって言ったら、どちらも不愉快そうな表情《かお》をするだろうな。ちなみにヤン提督に言わせると、〝おなじ畑のトマトとポテト〟だそうだけど、だとしたら畑の管理責任はヤン提督自身ではないのだろうか。

すくなくとも、イゼルローン要塞の司令官が、例のドーソン大将のように小うるさい、悪い意味でまじめいっぽうの人だったら、シェーンコップ准将やポプラン少佐のようなタイプは専用の営倉《えいそう》に放りこまれただろうと思う。アッテンボロー提督の貴重な証言によればこうだ。

「ドーソンってのはいやな野郎でね、士官学校で軍隊組織論を教えていたとき、試験の答案を返すときひとりひとり点数を読みあげるんだ。悪い点をとった学生には、いやみたっぷりに訊くのさ、きみは勉強したのかね、と」

勉強しなかった、と答えると、なぜ勉強しなかったのか、とねちねちいじめる。勉強した、と答えると、勉強してこのていどかね、とやはりねちねちいじめる。アッテンボロー証人はどう対応したかというと、つぎのように答えたそうだ。

「自分では勉強したつもりですが、まだまだ不足だったようです」

ドーソンの野郎、だまって答案を返しやがった、勝ったと思ったね、だけどこの策《て》は二度は使えないのが残念だね、と楽しそうに提督は笑った。

ぼくが知っている軍隊は、けっきょく、ヤン提督をつうじてのものだ。そのことをよくわきまえていないと、とんでもないことになるかもしれない。ぼくが好きになれるような人たちがこうもそろっていることのほうが、軍隊としてはかえって異質なのにちがいないから。

それにしても、ヤン提督は、シェーンコップ、アッテンボロー、ポプランといったタイプの人たちを意図的に集めたのだろうか。だとしたらおもしろいし、そうでないとしたら――さて、笑ってすませられるかどうか。

とにかく、ぼくはフレデリカ・グリーンヒル大尉にくっついて、企画と実行と、両方の現場を走りまわった。一〇〇フロアをぶちぬいた大吹き抜けに花火をあげて、シャンペンをひとり一本用意して、軍楽隊がここ、体操チームがここ――とやっているのはとても楽しい。願わくはパーティーが終わるまで敵の攻撃がありませんように。

七九六年一二月三〇日

帝国軍はイゼルローン要塞に多量の軍需物資を残していった。食糧、武器弾薬、医薬品、衣服および原料、その他、金額にすればたいへんなものらしい。

「時価一〇〇億ディナールはくだらないだろう」

「とんでもない、その五倍はかたい」

と、噂がにぎやかだ。

これらの物資はすべて軍当局の手で封印されているわけだけど、ヤン提督がイゼルローンに赴任してから調査したところ、どうも二割以上の物資が〝消えてしまっている〟というのだ。蒸発したり酵母分解されたりするわけもないから、ここが帝国本土侵攻作戦の司令部に使われているあいだに、横流しされてしまったとしか思えない。

その当時、キャゼルヌ少将は司令部の後方主任参謀だったが、〝旧帝国軍の軍需物資については管理権限を有しない〟とされていたそうだ。したがって、横流しには無関係ということがはっきりしている。なまじ権限をもたされていたら、不名誉なうたがいをかけられていたかもしれない。こんな話が出てくるのも、年が終わりかけているのに、ハイネセンのほうでアムリッツァの敗戦処理がいまだに終わっていないからだろう。ヤン提督とイゼルローン関係の人事が早く決定されたのは、どちらかというと奇跡やら偶然やらのお手柄らしい。

「うるさい奴やめんどうな奴は、ひとまとめにしていちばん危険な場所へ放りこんでおけ、ということさ。実際、シェーンコップだのポプランだのと名前がつづくと、幹部の名簿じゃなくてブラックリストとしか思えないものな」

自分のことを遠くの棚に放りあげてえらそうに言ったのは誰か、あえて書かない。

グリーンヒル大尉は、新年パーティーの企画と並行して、軍需物資の正確な在庫表をあっという間に作製した。

「もしこんな細かいことで、軍首脳部がヤン提督をいじめたら赦さないから！」

と大尉は言う。聞こえるところで言ってやれば、提督だってすこしは考えるところがあるかもしれない。

イゼルローン要塞とともに同盟軍の手に落ちたのは軍需物資だけではない。軍事情報もわが軍に多くもたらされた。その結果、帝国軍が同盟軍内部につくっていたスパイ網も、半分ほどは正体が知れてしまったのだという。全部わかってしまう、というぐあいにいかなかったのは、スパイ網などというものは横の連絡がないので、意外に全容がとらえにくいものだから、という。

ポプラン少佐は一言、

「ＭＰが能なしだからだ！」

帝国軍としてはスパイ網の再編を急がなくてはならないはずだが、大貴族連合とローエングラム侯との対立のあおりで、それどころではないらしい。なんだか、どっちをむいてもみんな苦労しているようだ。有能な副官にデスクワークをまかせてぼけっとしている某司令官も、きっとそうだと思いたい。

七九六年一二月三一日

あと三時間で、今年も終わる。七九六年は同盟軍にとってさんざんな年だったけど、ヤン提督にとっては飛躍の年だったと思うし、ぼくにとってもいい年だった。軍属になれたし、提督のそばを離れずにすんだ。ぼくはもう施設とか寮とかに、はいりたくない。そこでは、お茶をいれることも掃除をすることも、たんなる義務になってしまう。でも、ぼくはそういったことを喜んでやっているのだ――二年前から。

「きみはえらくヤン提督のこと尊敬してるけど、あの人のどこがいいのかね」

と、ブッシュ先生に訊かれたことがある。

「なまけ者のところです」

と答えたら、先生は不愉快そうだった。

世の中には、自分の部屋やデスクをきちんと整頓して、毎日時間どおりに働く人たちが多勢いる。だけど、そういう勤勉な人たちが一〇〇万人集まっても、ヤン提督みたいなことはできっこないのだ。ヤン提督はちゃんと掃除器をもっているけど、それは部屋の隅に隠れたゴミを吸いよせるためのものではない。うまく表現できないけど、勤勉だと自称する人たちは、自分のもっている掃除器が宇宙でいちばんすぐれている、と思わないほうがいいのではないだろうか。

ぼくはヤン提督のもとにいることを誇りに思う。提督が仕事を放りだして昼寝しているのを見たりすると、ちょっと尊敬の念がぐらつくこともあるけど。

あと一時間ほどで、パーティーがはじまる。提督を礼服に着かえさせて会場へ行かなくてはならない。

では、来年もよい年でありますように。提督が武勲をたてて、それ以外の場所は平和だったら、いちばんよいのだけれど。

第三章　全員集合

七九七年一月一日

新年！

よい年になるかどうかわからないけど、とにかく新年。要塞をあげてお祭りさわぎだ。旧年のうちに、パーティーは、ヤン提督のスピーチではじまった。わずか二秒、「皆さん、楽しくやってください」。民間人の代表は、政治家志望むきだしの中年の男性だったが、二秒スピーチのあとでは長い舌を短くするしかなかった。そして花火が吹き抜けの空間に爆発すると、シャンペンが抜かれ、楽隊が演奏をはじめ、あとはもう大さわぎあるのみだ。

あちらとこちらで、まったくべつの歌声があがる。ビールやシャンペンをひっかけあう。踊りだす。抱きあう。本気ではないけど殴りあいがおきる。紙吹雪。ダンス。意味のない絶叫。トランポリンの上でジャンプ。手拍子。服を着たままプールにとびこむ。クラッカーの音。風船。もうむちゃくちゃだ。

考えてみれば当然だ。前線の将兵は、つぎの新年を迎えることができるかどうかわからない。アムリッツァ会戦のようなことがおこれば、出征した者の七割が生還できないのだ。生命力のありったけをぶつけて、大さわぎするのが、あたりまえなのだ。

ぼくは最初、ヤン提督のそばにくっついて、プラムジュースの紙コップとターキーパイの紙皿を両手にもっていたはずなのだが、ひとしきり人波にもまれて、気づいたときはポプラン少佐といっしょに、吹き抜けの上階で、下の広場にむかって紙吹雪を投げつけているありさまだ。合金製の手すりから上半身をのりださせながら、少佐が大声をだした。普通の声ではとても聞こえない。

「なあ、ユリアン、こういう高いところにのぼって、はるか下界を見おろしていると……」

「翔《と》びたくなりますか？」

「いや、誰かを突き落としてやりたくなる」

「考えるのは自由ですけど、実行しないでくださいね」

「努力してみましょ」

ポプラン少佐の努力の結果かどうかはわからないが、転落死した者がいなかったのはさいわいだった。やがてぼくたちは下へおりはじめたが、階段の途中でポプラン少佐は赤毛の若い女性と意気投合して、どこかへ姿をくらましてしまった。もみくちゃにされてようやく広場へたどりつくと、ヤン提督にばったり再会した。

「お元気ですか、提督？」

「なんとかね。ところで、お腹がすいてないか？」

「とってもすいてます！」

はぐれないように手をにぎって、模擬《もぎ》店のひとつにもぐりこみ、スパゲッティ・シチューを注文したが、傍迷惑なパイ投げ合戦がはじまったので、あわてて逃げだした。大混雑のなかを悠々と歩いていたコーネフ少佐が片手をあげてあいさつしたが、頭からビールをかぶってずぶぬれで、それでもおちつきはらっている。シェーンコップ准将が人の渦の外側で、われ関せずとばかり、黒い髪の女性とキスしている。アッテンボロー提督は、元気なことに、トランポリンの上でビール瓶片手に女性とダンスをしていた。が、相手が男にかわったとたん、殴りあいになって、あっという間に三人ばかりトランポリンの外へたたきだした。あまりの強さに、つい拍手してしまったが、酔っぱらったせいか、四人めとわたりあう前に自分からトランポリンにひっくりかえってしまったのは、みっともなかった。

グリーンヒル大尉と群衆のなかで出会う。さっきからヤン提督とぼくを探していたようだ。酔っぱらって抱きつこうとする大柄な兵士を、護身術のマニュアルどおりに蹴とばして、半分破れかけた紙袋を手わたしてくれた。なかにはいっていたケーキやローストチキンはつぶれてぐしゃぐしゃになっていたが、これが今日のぼくたちにとって唯一の食事になった。

七九七年最初の夜も、もうすぐ終わる。

今年にはいってからの二三時間半は平和で楽しかった。

七九七年一月二日

新年休暇の二日めというものは、なんとなく手持ち無沙汰《ぶさた》なものだ。毎年そう感じる。エネルギーは前日につかいはたしてまだ補充されていないし、食事は新年パーティーの残りものだし、昨日は気づかなかった大量の疲れが、身体と頭の芯《しん》にわだかまって、食欲もあまりないし、ゲームをやっても集中力もない。

去年は惑星ハイネセンのマウント・レジャイナでホワイト・ニューイヤーとスキーを楽しんだ。一月一日零時に、三〇〇〇人のスキーヤーが松明《たいまつ》を片手にゲレンデを滑降し、息をのむほど美しかった。もっともヤン提督は暖炉の前でグラスを片手に、もちこんだ本を読みふけっていたけど、三〇〇〇人のなかにまぎれこんだぼくがガラス戸の外で松明をふったときは、グラスをかかげてくれた。

「あのころは若かった」

などと、他人が言ったら不愉快がるにきまった冗談を言いながら、ヤン提督はソファーに寝そべって、本のページをめくっている。めくっているだけで読んではいないのだ。ぼくもテーブルにすわってなんとなくぼんやりと時間をすごしてしまった。〝なにもなし〟と一行ですむような日だった。

七九七年一月三日

士官《ガンルーム》クラブの隅でヤン提督を待っていたら、立体《ソリビジョン》TVに、新年の集会を開いた反戦派代議員ジェシカ・エドワーズ女史の姿が映った。

「いや、あのジェシカ・エドワーズがねえ、人間どこでどう進路が変わるか、わからないものだな」

しきりにアッテンボロー提督が感心している。あざと呼べないほどのあざが顔の隅に残っているのは、一昨日の武勇伝の名ごりだろう。お相手をつとめたほうは、あざぐらいではすまなかったのではないだろうか。エドワーズ女史が士官学校生たちの〝青春の同行者〟だったころを、むろんアッテンボロー提督は知っているのだ。

当時、ヤン提督も、どうやらエドワーズ女史に好意以上のものをいだいていたらしい。そのことをちょっとアッテンボロー提督に訊いてみると、

「そうだな、ジェシカ・エドワーズがヤン提督とくっついたとしても、まあそれほど意外ではなかっただろうな。恋人というより、いい友だちという印象ではあったがね」

それはぼくにも想像できるのだ。ヤン提督がポプラン少佐のように軽快で洗練された（と自

分では言っている）恋愛ゲームができるはずはないし、だいいち、自分自身の感情がわかっていたかどうかさえあやしい。その点にかぎっては、提督はこの一〇年間、まったく進歩していないのではないかと思う。でも、そういうところがぼくは好きだけど。

ところで、アッテンボロー提督自身はどうだったのだろう。〝有害図書〟を隠したり、いやみな教官をだしぬいたりするのに、エドワーズ女史の協力をえたことは話してくれたが、自分のことについてはあやふやだ。シャープに見えるくせに、あんがい、ヤン提督と似たようなレベルなのかもしれない。

七九七年一月四日

なぜそうなったのかよくわからないが、今日はフレデリカ・グリーンヒル大尉が夕食をつくってもってきてくれることになったらしい。帰宅したヤン提督はなんとなくおちつかない。

「副官に料理をつくってもらったりしたら、公私混同と言われないかなあ」

ヤン提督がイゼルローン要塞に拠《よ》って軍閥《ぐんばつ》化するおそれがある、などと言いふらす連中に、聞かせてやりたい台詞《せりふ》である。提督は、キャゼルヌ夫人の手料理をごちそうになるときなど、まるで遠慮しないが、グリーンヒル大尉が相手だと、そうもいかないらしい。もっとも、大尉の料理の腕が不明という事情もあるのだろうけど……。

結論をいうと、グリーンヒル大尉がもってきたビーフ・ストロガノフと白身魚のキャベツ巻きスープ煮、それにエッグサラダは、びっくりするほどおいしかった。だけど、食後、キッチンで皿を洗いながら大尉は告白した。

「じつは、わたしがつくったんじゃないのよ。レストランでつくってもらって、わたしがここまでもってきただけなの」

そう言われれば、たしかにレストランの味ではあった。皿を洗いながら、グリーンヒル大尉は、ため息をついた。

「もちろん、わたしだって自分でつくるつもりだったのよ。でも、むりをしても、ゼッフル粒子のあるところへ花火を投げこむようなものだし」

「料理をつくるの、お嫌いなんですか？」

「そうね、料理をつくるよりほかにやりたいことがいっぱいあるのはたしかだわ」

同盟軍最高の才女にも不得意なものがあるのか、と思うと、ぼくはおかしいというより大尉に親しみを感じた。思いだしてみると、一二月のなかごろに、ぼくが熱をだしたときも、たしかそんなことを話したり聞いたりしている。

「ね、ユリアン、おいしい料理をつくるには、こつというものがあるの？」

「べつに、こつなんてないですよ。ぼくだって料理の本どおりにやっているだけです」

「わたしだって本どおりにやっているんだけどなあ。材料のえらびかたが悪いのかしら」

……人間の才能には、発信性のものと受信性のものがあるのだという。発信性のものとは創造力のことで、受信性のものとは記憶、理解、処理能力、それに批評したり鑑賞する能力だそうだ。そういう区分のしかたが全面的に正しいとはかぎらないけど、なるほどという気がする。

軍隊でいえば、副官に必要なのは受信性の能力だそうだ。グリーンヒル大尉を見ていると、それが納得できる。ヤン提督個人の能力が、グリーンヒル大尉をとおすと、ヤン艦隊全体の能力に増幅するように見える。グリーンヒル大尉は、ヤン提督とヤン艦隊にとって、なくてはならない人で、だからすこしぐらい料理がへただっていっこうにかまわないと思うのだが、本人にとってはそうもいかないのかな。

礼を言ってグリーンヒル大尉を帰したあと、ヤン提督はぼくの額を指先でかるくつついて、「事後共犯だね」と笑った。ちゃんとわかっていたのだ。ぼくはヤン提督のまねをした。頭をかいて笑ったのだ。

「女性がみんな、料理の名人である必要なんてないさ。宇宙に住む四〇〇億の人間、四〇〇億の個性、四〇〇億の悪あるいは善、四〇〇億の憎悪あるいは愛情、四〇〇億の人生」――そういう言いかたをヤン提督はする。個人と個性というものがどれほど貴重なものか、ぼくは提督に教えられた。

「すべての人類が統一された精神体の一部となり、まったくおなじように考え、おなじように感じ、おなじ価値観をもつようになれば、人間の種としての進化が達成できるのです」

そうとなえる宗教家の主張を立体TV《ソリビジョン》で聞いたとき、ヤン提督は不愉快そうにそっぽをむいてつぶやいた――冗談じゃない古代の奴隷だって心のなかで主人に反抗する自由があったのに、全員がおなじように考え感じるなんて、精神的全体主義の極致じゃないか――と。

「ちかいうちにグリーンヒル大尉にはお返しのごちそうをしなきゃな」

提督がそうしめくくった。

七九七年一月五日

帝国方面へ進出した情報収集衛星が、帝国の民需用通信波をキャッチしたとかで、帝国の国営放送の画像を見ることができた。

国営放送なんて、たとえ民主国家のものでもたいしておもしろくはないはずだが、士官クラブ《ガンルーム》で皆が立体TV《ソリビジョン》から目を離さなかったのは、ニュースの画面にラインハルト・フォン・ローエングラム侯の姿が映っていたからだろう。

「まあ観賞用としては、えがたい素材だろうな、あの金髪の坊やは」

これはポプラン少佐としては、最大限のほめ言葉ではないだろうか。アッテンボロー提督が答えて、

「その観賞用の素材とやらに、完膚《かんぷ》なきまでにたたきのめされた軍隊も、宇宙には存在する

さ」

皆、顔を見あわせて苦笑する。アムリッツァやアスターテで、ローエングラム侯のためにひどい目にあった人たちが、ここには多勢いるのだ。

「あの豪奢《ごうしゃ》な黄金色の髪の下には、この五世紀間で最高の軍事的頭脳がつまっている。あと一〇〇年遅く生まれて、彼の伝記を中立の立場から書けたらよかったのになあ」

ヤン提督がそう言うのを、ぼくは聞いたことがある。一度や二度ではない。ローエングラム侯という敵国の提督が、どれほどヤン提督の心をとらえているか、ぼくは知っている。

ぼくが自分で一人前だと思う年齢と地位と才能の持ち主だったら、ぼくはローエングラム侯に嫉妬したと思う。

だけど、〝水晶を銀の彫刻刀でほりあげたような〟（とヤン提督は表現する）彼の姿を見ていると、ひたすら、ため息をついてしまうだけだ。天はひとりの人間に三物も四物もあたえることがあるのだ。ローエングラム侯が手をあげて群衆にこたえる姿、幕僚をしたがえて壇上に歩む姿、どれもこれも名画のモデルのようにみごとだ。

「提督、同時代史を書くより、やっぱり過去の歴史のほうがいいんですか？」

「それはそうさ。その時代その場所にいあわせた者より、何十年も何百年ものちに歴史を研究した者のほうが、冷静に、客観的に、正確に、多面的に、事件の本質を把握できるものだ」

ときどき思うのだが、ヤン提督は、事象そのものより、それが人間と社会にあたえた影響に関心があるのではないだろうか。

「そうさ、ユリアン、考えてごらん。宇宙が広大であることも、人間が卑小《ひしよう》であることも、人間の認識があってはじめて成立する命題なんだからね」

ぼくは提督のようには歴史に関心がない。弟子だとすれば、不肖の弟子もいいところだ。ぼくが軍人ではなく歴史家になりたいと言ったら、提督は喜んでくれるだろう。

でも、提督を喜ばせるためにむりにそう言ったとしたら、提督はかえって悲しむだろうと思う。どうしたらいいのか、ぼくはしばしばわからなくなる。ヤン提督の同時代伝記を書くのなら、きっと、情熱だけは充分にあると思うのだけど。

七九七年一月六日

この前のお返しをしよう、というので、フレデリカ・グリーンヒル大尉を招いて、ささやかな夕食会を開いた。食後に三次元チェスの対抗リーグ戦がおこなわれたが、結果は、グリーンヒル大尉が一勝一引分け、ぼくが一勝一引分けだった。三人めの戦績について、あえて語る必要があるだろうか。一勝一引分けではない——念のため。

七九七年一月七日

午後からシェーンコップ准将に白兵戦技を教わる。基本的な三つの手段――素手、戦斧《トマホーク》、戦闘用ナイフから、いずれさまざまな応用篇にすすむことになるのだが、

「実際には、ビール瓶とかベルトとかのほうが役にたつことが多かったね」

「戦闘にですか？」

「プライベートな戦闘にさ」

ちなみに、これまで会得《えとく》した技術のなかで、どれがもっとも役にたったかを訊いてみたら、シェーンコップ准将は即答して、

「それはむろん、はったりの技術さ。お前さん、ご希望なら各種とりそろえてご教授さしあげてもよいが」

「ええ、いずれお願いします。でも、奥義《おうぎ》を教えていただくのは……」

「基礎をマスターしてからにしたいか。よかろう」

そして今日は、基礎のほんの玄関口をくぐらせてもらった。筋力、瞬発力、視力、反射スピード、持久力などをテストされたのだが、貸してもらった迷彩服を着て火薬式の軽機銃をもたされ、五キロの徒歩と三〇〇メートルの水中歩行、二五カ所の障害越えをたてつづけにやらされたあとは、立っていることさえできなかった。帰ると、提督の優しさに甘えて、夕食のしたくもせずベッドに倒れこんでしまった。ひと眠りして夜中に起きだし、身体に薬を塗ってから、

この日記を書いているありさまだ。そのうち、このメニューを楽にこなせる日がくるのだろうか。

七九七年一月八日

今日は、〝奇術師ワルター・フォン・シェーンコップの日〟だった。あまりにあっけなく、かなり横着《おうちゃく》に解決してしまったので、なんとなくかるく思えてしまうのだけど、長びいてひとつまちがえば、とんでもないことになっていたかもしれない。

前日にくらべるとずいぶん楽になったが、あちこちの筋肉と関節がまだ不平をもらしていた。

それでも、ヤン提督を司令部に送っていったあと、防御指揮官《ディフェンス・コマンダー》のオフィスに行った。

シェーンコップ准将は朝から部下とカードをやっていたが、ぼくの顔を見て、

「おや、生きていたか」

と言った。ぼくが返答するより早く、下士官がひとり駆けこんできた。

「シェーンコップ准将、たいへんです！」

「なんだ、ヤン司令官が酔っぱらって、グリーンヒル大尉を押したおしでもしたか」

「そ、そんなことではありません」

「するとポプランが前非《ぜんぴ》のかずかずを悔いて、修道僧にでもなると言いだしたか」

どちらでもなかった。おそらく麻薬中毒かと思われるが、夜勤あけの兵士が民間人経営の店で暴れだし、朝食をとっていた士官を人質にたてこもっているというのである。

「年に一万回もおこるような、独創性のない事件じゃないか。なんでわざわざおれを呼ぶんだ。憲兵《MP》にまかせておけばいいだろう」

「MPのコリンズ大佐が人質になっているんです」

それを聞くと、すごく嬉しそうに、シェーンコップ准将はひとしきりMPの悪口をならべたてた。無能だの、腰ぬけだの、弱い者いじめだの、役たたずの穀《ごく》つぶしだのと、言いたいほうだいである。

「それにMPはおれを目の敵《かたき》にしてるんだ。この前も、〝歩く風俗壊乱〟などと根も葉もない誹謗《ひぼう》をしていたしな。奴らになんの義理もないが、おれは、塩をまかれたナメクジにだって同情する男だ」

シェーンコップ准将について現場へ行くと、店を包囲した兵士たちの輪のなかにヤン提督がいて、准将とぼくを手招きした。

「一任していいかな、准将」

「労働条件しだいですな」

「どんな条件?」

「そうですな、危険手当、時間外勤務手当、休暇を中断されたための精神的苦痛にたいする慰《い》藉《しゃ》料、カードの勝負でえられるはずだった逸失《いっしつ》利益、そんなものでしょう」

「そういうことは原則として受益者負担になっているから、コリンズ大佐が助かったら彼から徴収してくれ。私としては、名誉のほうで貴官にお礼をするから」

「はん、勲章ですか」

「いやいや、毎年一月八日を〃シェーンコップの日〃と名づけて、貴官の勇気と義侠心をたたえるイゼルローンの祝日にするよ」

「……ま、そのことはあとであらためて話をしましょうか」

店内から犯人が出てきた。MP士官の襟首《えりくび》を片手でつかみ、もういっぽうの手には戦闘用のナイフをにぎっている。

「芸のない格好だ」

とシェーンコップ准将は軽蔑したように言ったが、まさか足で銃をかまえるわけにもいかないだろう。

准将の部下たちが、大声で犯人をやじっている。

「ろくでなしめ、お前の誕生日は知らないが、命日は知ってるぜ、それは今日だ」

「こら、剽窃《ひょうせつ》するな、それはおれがいずれ帝国軍の大物に言ってやろうと用意しておいた台詞だ」

〃薔薇の騎士《ローゼンリッター》〃連隊の人たちは、前代の隊長に劣らない、建設的な性格の持ち主らしい。ありがたかったのは、「危ないからむこうへ行っていろ」などと良識的な台詞をあびせられなかったことだ。犯人もなにか喚いているが、よく意味がわからない。店の外に出てきてはいるが、天井やら床やらの角度で死角になって、上方や横からの狙撃は不可能だという。

「では正面から行くさ」

かつてイゼルローン要塞の司令室を単身で制圧したときもこうだったのだろうか。平然としたものだ。

シェーンコップ准将は頭上を見あげ、三〇秒ほどなにか思案した。それからぼくの顔を見た。

「ユリアン、ひとつ実戦教育をしてやろう」

そしてぼくの耳になにかささやいたのだ。その内容は事実で記すことにする。

時間かせぎのため、准将と犯人とのあいだでしばらく応酬があった。やがて准将は、ひとり、包囲の輪から歩み出た。

「ひとつ、一対一で話しあおうじゃないか」

「などと言うからには、銃を捨てろ」

「わかった、わかった」

じつにわざとらしい動作で、准将は腰のブラスターを抜きとって放りなげた。そのとき彼は、吹き抜けの床に立っていた。兵士たちは犯人の要求で遠ざけられてしまっている。

「さあ、これでいいだろう。話しあおうじゃないか」

「ふん、なにを話しあおうってんだ」

「お前が、去勢された豚も同様のいくじなしだってことをさ」

「……！」

そのあと、銀河帝国なら検閲にひっかかるにちがいない、種馬でも顔をあからめるような台詞がつぎつぎと投げつけられたそうだが、ぼくの耳には聴こえなかった。逆上した犯人は、自分に武器があって准将にはないこと、兵士たちが遠くにいることなどをそれでも計算したのだろう。人質を片手につかんだまま、ナイフをひらめかせ、准将めがけて突っこんだ。上のフロアにのぼってタイミングをはかっていたぼくが、つかんでいたものを離したのは、そのときだった。荷電粒子《かでんりゅうし》ライフルが、一〇メートルの吹き抜けの空間を垂直に落下して、シェーンコップ准将の手におさまった。

准将の手首がひらめくと、殴打《おうだ》用の武器と化したライフルは、突っこんできた犯人の横顔にたたきつけられていた。犯人は水平に三メートルほど吹っとんで、床に転がった。いっしょに人質も転がってしまったが、これはもう、しかたない。

「ナイス・コントロール、ユリアン」

ぼくを見あげて、准将は敬礼のしぐさをしてみせた。

ヤン提督は、あきれたように首をふった。倒れた犯人に、元気づいたMPが殺到していくのが見えた。

その後、ぼくはシェーンコップ准将のオフィスに極上のブランデーをとどけた。ヤン提督が、妙技の見物料として、ぼくにとどけさせたのだ。准将は満足そうにそれをうけとったが、ぼくは質問せずにいられなかった。

「もしさきに撃たれたら、まちがいなく死んでましたよ。覚悟はおありだったんですか?」

シェーンコップ准将は、神ものけぞる平静さで答えた。

「そんな心配はまったくしなかったね。天寿をまっとうせずに死ぬほど悪いことは、おれはやってないから」

ヤン提督の幕僚をつとめる人たちは、ぼくの知るかぎり、皆、言うだけのことをやってのける。すくなくとも、一〇〇のことを言えば五一ぐらいのことは実行する。なぜか、そういう人たちが集まったようだ。たのもしいのだが暴走しないようにしてほしい、と願うのは、いまのぼくの立場からは生意気な要求だろう。それに、正直いうと、暴走ぎみのほうがおもしろい。キャゼルヌ少将がやってくれれば、あの人がどうせ制止役にまわるだろうし、いまでもムライ参謀長がいる。ぼくがえらそうなことを言う必要なんてないだろう。

ヤン提督と精神的な波長があうことは、ぼくにとってとてもうれしいことだ。そして、ヤン提督の部下の人たちと仲よくやっていけそうなことも。

七九七年一月九日

平和な一日。つまり昨日とちがって、特別に書くようなことはなにもなかった。MP本部では、昨日の事件にかんして訊問や捜査がつづいているらしいけど、ぼくには事情をうかがうことはできない。料理のために買出しをし、書斎の本棚を整理し、本格的な掃除をして、善良な市民生活を味わった。

七九七年一月一〇日

今日も比較的平和な一日。

提督のためアルーシャ葉の紅茶を買いに行って、ハイネセンより二割高いのに腹をたてていると、ポプラン少佐に出会った。退屈しているようだ。

「戦闘もない、殺人もない、喧嘩もなければもめごともない。おまけにこの二日ばかりは、佳《い》い女も見あたらない。なんのために軍人をやってるんだか、わかりゃしない」

考えてみると、かなりとんでもないことを口にする。

「訓練でもなさったらいかがです?」

「訓練をしすぎると、かえって実戦の勘がにぶる」

「そうですか」(われながらうたがわしげな口調)

「それに、いくら訓練したって、どうせおれにはおよばん。するとどうしても劣等感をいだくようになるしなあ」

カフェテラスのテーブルに片脚をのせてポプラン少佐はうそぶき、手もとの紙包みをぼくのほうへ押しやった。

「チョコボンボン、食うか?」

「ありがたくいただきますけど、少佐、チョコボンボンがお好きなんですか」

「嫌いだから、わけてやるんだよ。好きだったら独占するさ」

りっぱな論理だ。女の子を釣る小道具のつもりだったとしたら、ぼくなどに食べさせるのは残念だろうけど、遠慮しないでいただくことにした。少佐自身も、つまらなそうに紙をむいて、まずそうにチョコボンボンを口に放りこむ。ぼくも三つ食べたところで限界をさとった。ボンボンの小山を前に、すこし話をする。以前からすこし気になっていたことを訊いてみた。ポプラン少佐は、上官であるヤン提督のことをどう思っているのだろう。

「そうだな、おれがヤン・ウェンリー以外の司令官の下で、おれ自身でいられると思うかい?」

ぼくは首を横にふった。少佐は緑色の瞳に笑いをうかべた。

「しいていえばアレクサンドル・ビュコックの爺さんぐらいだろうが、それでもすこしはこちらが窮屈というか、遠慮を感じるだろうな。ヤン・ウェンリーだと、それを感じずにすむ。

おれが喜んでヤン提督の下にいるのは、つまるところおれがおれ自身でいたいからだ」

少佐は指先で紙を丸めた。

「――と思ってるんだがね。心理学者はちがうことを言うかもしれんな」

「というと？」

「イゼルローンには美人が多い！」

帰ってから、ポケットからチョコボンボンを出していると、本を片手にキッチンをのぞいたヤン提督が、不思議そうな表情でボンボンの山をながめた。

「提督もめしあがります？」

「そうだな、中身のウイスキーだけならもらってもいいな。外側のチョコレートはお前にあげるよ」

むろん、ていねいにおことわりした。

七九七年一月一一日

ハイネセンから荷物がとどいて、ヤン提督が不機嫌になっている。というと奇妙だけど、途中経過を省略して原因と結果だけ記すとそうなるのだ。

この荷物は、ぼくたちがハイネセンを発《た》つ前に軍の輸送サービスに依頼したのに、コンピューターのミスから、一〇〇光年も離れた場所へはこばれてしまい、二カ月ちかくも行方不明になっていたのだ。こうも到着が遅れたうえ、延着払いもどしの期限にはあと三日あるので、一ディナールの補償金も支払われない。不機嫌になるのも、もっともだ。

「まあ無事に着いただけ、よしとするか」

そうつぶやいてから、提督はあわてて首と手をふった。

「いや、なかをあけてみないと、無事に着いたかどうかわからない。ユリアン、調べてみてくれ」

というわけで夕食後は荷ほどきになった。

荷物の大部分は本で、三〇〇〇冊ほどはありそうだ。例の空部屋に住人ができるというわけだった。整理するうちに、VTRアルバムが出てきた。つい見てみると、両手に壺《つぼ》をかかえて笑っている赤ん坊の姿があらわれた。ヤン・ウェンリー氏ご幼少のみぎりのお姿だ。

「なにを見てるんだ?」

「提督、かわいかったんですね」

「過去形で言わないでほしいな。それより、さっさと整理しなさい」

ほんとうは、ぼくは提督がうらやましかったのだ。ぼくには赤ん坊や幼児のころの写真が一枚もない。祖母が処分してしまったのだ。ぼくが母といっしょに写ったものは、全部焼かれたし、父といっしょに写ったものは、祖母がどこかにしまいこんだきり、祖母の死とともに行方不明になってしまった。父の結婚を、祖母は死ぬまで許さなかった。孫であるぼくのことも、〝息子を奪った女の子供〟とみなしていた。

祖母には祖母の事情や感慨があったのだと思う。だけど、いまのぼくにはそれが理解できない。ミンツ家が国父ハイネセンの〝長征一万光年《ロンゲスト・マーチ》〟に参加して以来の名家であり、母が帝国から亡命してきた平民の子孫だから、祖母が母をののしりはずかしめる正当な理由があったとは、ぼくには思えない。そんな考えは、血統や家柄を異常におもんじる帝国の貴族たちの姿を、裏がえしにしただけではないか。先祖を自慢するのは、子孫がだらしないことを証明するだけのことではないか。

整理を全部すませるのはむりなので、適当にきりあげて、寝る前のお茶にした。

「ヤン提督のご先祖ってどんな人だったんですか？」

という質問にたいする提督の答え。

「そうだな、よくわからないけど、一〇億年ぐらい前は、地球の原始海洋のなかで、クラゲみたいにぷかぷか浮かんでいたらしいね」

歴史家志望の人の言葉とも思えない。

七九七年一月一二日

イゼルローン要塞の前方、つまり帝国方面は平和な――というより戦闘のない――状態がつづいているのに、後方がなにかとうるさくなってきた。

ちょっとおどろいたのは、先日、軍に委託されて物資をはこんでいた貨物船が、宇宙海賊に襲われて物資をすべて強奪されたというニュースだ。ヤン提督はなんとなく感心したように腕組みして、

「宇宙海賊ねえ、なんだかえらくなつかしいものに出あったような気がするな」

「保険金めあての詐欺じゃないか」

とはシェーンコップ准将の意見である。

「いや、もっと根が深いんじゃないか」

とアッテンボロー提督が言うのは、どうも予想ではなく願望のように思える。ぼくも人が悪くなってきたのかもしれない。

七九七年一月一三日

噂の宇宙海賊とやらを捜査・検束《けんそく》するために砲艦を一〇隻、偵察母艦を五隻、それに駆逐艦を四隻、後方へ派遣することになった。指揮をとるのはアッテンボロー提督で、艦隊運動の訓練もかねて三日ほど要塞を留守にする。ついでにキャゼルヌ少将らが乗った輸送船を護衛する

のだそうだ。

それを聞いたポプラン少佐が、いい退屈しのぎと思ったのかどうか、コーネフ少佐とぼくを仲間に引っぱりこんで同乗を申しでたのだった。

ムライ参謀長は、どことなく白っぽい目つきでぼくたちを見て、しばらく返答しなかった。ヤン提督とグリーンヒル大尉が、砲台二〇カ所の視察に出かけた直後だったので、ポプラン少佐としてはもっとも苦手な相手に申しこむことになったわけだ。参謀長の返答はこうだった。

「きみたち三人が行動すると、深刻な問題でも冗談ですんでしまうような感じがして、これは問題解決のためにはあまり好ましくないと思われるが、どういうものだろうね」

「そいつは偏見ってものです。こちらのふたりはともかく、おれ、ではない、小官は、おふくろの腹から生まれたときから、誠実とふたりづれが自慢の種で――」

「残念ながら、その後、生きわかれになったようでしてね。いや、参謀長、お時間をとらせて申しわけありませんでした、失礼します」

ごく静かに口上して、コーネフ少佐が半分ぼくを引っぱるように退出すると、ポプラン少佐も形勢不利と思ったか、敬礼ひとつを残して司令部をとびだしてきた。

外のカフェテラスでふたりがやりあっているのを聞いたところでは、ポプラン少佐はコーネフ少佐にろくに事情も聞かせず司令部に同行させたらしい。その点はぼくもおなじだけど。コーネフ少佐はぼくにささやいた。

「もともと、ポプランは飛行学校時代から六無主義の巨頭と言われてたぐらいでね」

「六無主義、ですか」

「無思慮、無分別、無鉄砲、無節操、無責任、無反省……」

「だいじなものを忘れているぜ、無神論と無欲と無敵」

三杯めのコーヒーをまずそうに飲みほして、ポプラン少佐が口をはさんだ。

「それじゃ、あわせて九無主義だな」

「友だち甲斐のない奴だ、すこしはかばってやろうと思わんのか」

「友だち？　誰が？」

そのときの、言ったほうと言われたほうの表情は、まったく観物《みもの》だった。

夕方、宿舎にもどってきたヤン提督が、意味ありげに言った。

「またポプランあたりにそそのかされて、なにかやらかしたんじゃないだろうな、ユリアン。さっきムライ少将が、ユリアンくんは友だちをえらんだほうがいいと言っていたぞ」

「友だち？　誰が？」

と言おうかと思ったけど、とうていコーネフ少佐の口調のまねはできそうにもないので、ぼくはやめた。じつはぼくにとって〝ポプラン少佐の友だち〟と言われるのは、うれしいことなのだ。

夕食後、提督のデスクに紅茶をはこんだとき、ちょっとすわって茶話でもしていくように言われたので、ぼくは訊いてみた。

「提督、イゼルローン要塞へいらしたことを後悔なさっていませんか」

「なぜそんなことを訊くんだ?」

「提督は最前線よりむしろ後方にいて、全軍を統轄《とうかつ》指揮なさるべき方だ、と皆が言っています」

「皆というのは、シェーンコップ、アッテンボロー、ポプラン、どうせそういった連中だろう。連中は声と態度はでかいが、多数派だとはいえないよ」

「でも、ぼくもときどきそう思います」

「ああ、お前が国防委員長にでもなったら、私をそういうえらい身分にしておくれよ」

提督が笑ったので、ぼくはほっとした。出すぎたことを言ったのはわかっていたので、叱られるかと思ったのだ。そういうことは、たとえばグリーンヒル大尉が言うのは許されることだが、ぼくが言うのは分をこえている。

ぼくの内心のうごきを、ヤン提督はきっとすべて見とおしていたのだと思う。だから、あえて叱らなかったのだろう。つくづく、自分の未熟さを思い知らされる。

「とにかく、イゼルローンは気にいってるよ。だいいち、ここには上役がいないし、利権あさりの政治屋どももいない。行事があるたびに長々しいスピーチを聞かずにすむ。地獄よりずっと天国にちかい場所だと思うね」

「住人は天使みたいだし？」

「天使？　あいつらがかい」

最初に言ったのは、何気なくだったのだが、シェーンコップ准将の頭上に黄金の輪がかがやいたり、ポプラン少佐の背中に白い羽がはえたりしている光景を思いうかべて、ぼくは吹きだした。最初、本気でいやな表情をしていたヤン提督も、つられて笑いだし、するとぼくも笑いがとまらなくなって、ふたりで延々と笑いころげてしまった。

笑い疲れて部屋にひきとったが、この日記を書いているとまた笑いがこみあげてくる。シェーンコップ准将やポプラン少佐が天使でなく悪魔だとすると、またおかしい。おたがいに黒い尻尾を引っぱりあったりして。どうか明日、あの人たちの顔を見て笑いだしたりしませんように！

七九七年一月一四日

昨年の一二月なかばから四週間ほど、幽霊騒動にはじまっていろいろとごたごたがあったけど、全部が一本の糸にからまっていたという話を聞く。つまり、後方と前線を結ぶ軍需物資の横流し組織があって、それを粛正《しゆくせい》するためのひそかな活動がおこなわれているのだそうだ。結末はどうなるか、ぼくには見当もつかない。

ポプラン少佐が、民間人の若い女性とつれだって歩いているのに出あった。むろん知らぬ顔ですれちがったが、昨夜のヤン提督との会話を思いだして、吹きだしてしまった。肩ごしにふりむいたポプラン少佐が、なにも知らずに片目を閉じてみせたりするものだから、ぼくは両手で顔の下半分をおさえて駆けだしてしまった。きっと奇妙な奴だと思われたにちがいないけど、自分でもどうしようもなかったのだ。

七九七年一月一五日

キャゼルヌ一家の乗った輸送船は、事故にもあわず、宇宙海賊の襲来もなく、アッテンボロー提督の小集団に迎えられたそうだ。明日、予定どおりイゼルローンに入港する。ヤン提督は無事を喜んでいるくせに、口にだしてはこう言う。

「まあ奥さんとお嬢さんたちが無事でよかった。彼女らにはなんの罪もないからな」

七九七年一月一六日

キャゼルヌ一家がとうとうイゼルローンにやってきた。一三時四〇分に、ヤン提督の代理で、要塞宇宙港の六番ゲートに迎えにいく。

「よう、出迎えご苦労」

にやりと笑った少将の顔がなつかしい。奥さんも、ふたりの小さな令嬢《レディ》も元気そうだ。

「ユリアンがいてくれるので心づよいわ。先住者としてなにかとご指導願うわね」

そう言われて、ぼくは恐縮するしかなかった。

なんでも奥さんは、「どうせイゼルローンに行くことになるんですから」と、家財道具を荷づくりにしたままハイネセン宇宙港のトランクルームにあずけて、最低限の荷物しかもたずに、前の任地に着任したのだという。

「なにしろ、むこうについて荷ほどきしたら、ウイスキーグラスもはいってないんだからな」

「じゃ、ずっと禁酒なさってたんですか？」

「まさか。紙コップで飲んださ。風情《ふぜい》はなかったがね」

酒飲みの執念、かくのごとし。

ヤン提督はぼくのことを「家事と整頓の名人だ」と言ってくれる。提督のレベルから見たらそうかもしれないけど、ぼくからキャゼルヌ夫人を見ると〝白い魔女〟に見える。指をひとつ鳴らしたら、家財道具がいそいそと所定の位置にとびこんでいくにちがいないという気がする。今朝ぼくがそう言ったら、ヤン提督は大きくうなずいた。

「そうにちがいない。夫人は白い魔女で、亭主のほうは黒い魔道士だ。魔法合戦で負けて、それ以後、家来になったにちがいない」

そう言われて、また先日の冗談を思いだしてしまった。悪魔とか魔道士とか、イゼルローンもにぎやかなことで、幽霊などの出没する余地は今後ともなさそうだ。

ヤン家から一〇〇メートルしか離れていないフラットに、キャゼルヌ一家を案内する。部屋数はおなじだが、居間兼食堂がひとまわり広い。いまはたんなるフラットだけど、ひと晩すぎれば、りっぱな〝ホーム〟になるにちがいない。

「さあ、夕食まで邪魔者は帰ってこないで」

奥さんはそう言って、キャゼルヌ少将とぼくを追いだした。シャルロット・フィリスが片手で妹の手をとり、片手をふって玄関でぼくたちを見送った。

司令部で、いちおうかたどおり着任のあいさつがおこなわれ、少将に要塞事務監の辞令が手わたされた。雑用をすべて敏腕家の手に押しつけられるとあって、ヤン提督のうれしそうな表情といったらない。

とにかくこれでヤン艦隊の幕僚は理想(?)どおりに勢ぞろいしたわけだ。名実ともに宇宙最強の戦闘集団、になれるといいけど。

「アスターテでもアムリッツァでも生き残って、まだ負けたことがない」

とヤン提督が言うのは、表面だけのこととしても(だって、まだこの艦隊のかたちで戦ったことはないから)事実ではある。希望はあると思う。ぼくが一人前になるまで、ヤン提督はむろんのこと、ほかの皆も無事でいてほしい。ぼくにとってヤン艦隊はたんなる軍隊内の機能集団ではなくなりつつある。

イゼルローンにしてもたんなる要塞ではない。キャゼルヌ少将は、かつての士官学校の後輩の下で喜んで働こうとしている。そういった人間関係、そういった雰囲気がイゼルローンなのだ、と、ぼくは思いたいのだ。

第四章　帝国の提案

七九七年一月一七日

キャゼルヌ少将がイゼルローン要塞に来て、たった二四時間で、ずいぶんようすが変わったような気がする。巨大なジグソー・パズルが高速度で完成されていくような感じだ。これまでたんなる要塞と附属施設だったものが、ひとつの都市として有機的に結びついていくのだ――と、ヤン提督は言う。それが、ほとんど自分の才能について語るように誇らしげで、キャゼルヌ少将の才能をもっともよく承知しているのは、ヤン提督だということがはっきりわかる。だから、すなおに当人にむかって賞めてみせればいいのに、けっしてそうはしないのだ。

考えてみると、キャゼルヌ少将は、前線で武勲をたてたりしたことはない。ほとんどデスクワークだけで、三四歳のとき少将になっていたのだから、たいへんな秀才官僚なのだ。だけど、ヤン提督がとうてい武勲赫々《かくかく》たる英雄なんかに見えないように、キャゼルヌ少将も秀才官僚ふうではない。すくなくとも、秀才を売り物にしてはいないように思える。自分が秀才だと思ったら、自分より年下で階級が上でしかも士官学校時代の成績が非秀才だった人物の下で働くなんて、不可能なことだろう。キャゼルヌ少将は、士官学校の成績は〝上の中〟だったそうだ。受験するとき、アーレ・ハイネセン記念大学の経営管理学科もうけて、こちらも合格したが、入学手つづきの日時をまちがえて士官学校にしか入学できなかったのが、一生の不覚のひとつだという。もうひとつは、〝とても女房には言えない〟ことだそうだ。

ヤン提督はキャゼルヌ少将より六歳年下だから、ともに机をならべて学んだということはない。ヤン提督が士官学校の三年生だったとき、キャゼルヌ〝大尉〟が士官学校の事務局次長として赴任してきたのが、心あたたまる交友とかの始まりだったのだそうだ。

心あたたまる交友といえば、今日はぼくはポプラン少佐に空戦技術を教わる日になっていた。ポプラン少佐が言うには、〝おれにデートの予定がない日〟、コーネフ少佐に言わせれば、〝ポプランがあぶれる予定の日〟である。

空戦隊の訓練センターに行って来意を告げると、パイロット・スーツ姿のポプラン少佐がほどなく姿をみせた。

「よう、よく来たな、ちゃんと昼飯は食ってきたろうな。胃が空《から》だと、胃液を吐くことになるからつらいぞ」

おどかしておいて、シミュレーション・マシンに乗せてくれた。

ポプラン少佐のような人は、訓練になれば人が変わるのかしら、と思っていたが、ポプラン少佐にはべつにそんなこともなかった。

「訓練ていどでいちいち人が変わってたまるか」

というこどだが、イワン・コーネフ少佐が補足したところでは、ポプラン少佐は相手が男のときと女のときとでは、応対するとき、すみやかに人が変わるそうだ。

シミュレーション・マシンをおりると、ポプラン少佐が、わずらわしそうに髪をかきあげて言った。

「九回死んだな。一五回は殺してやろうと思ったが、やはり年間得点王は反射神経がいいらしい」

「どうやれば、このつぎの訓練のとき、死ぬのが五回くらいですみますか？」

「教えてやってもいいが、賄賂《わいろ》しだいだな」

「チョコボンボン、お食べになります？」

ヘルメットを小脇にかかえたポプラン少佐は緑色の目でじろりとぼくを見た。精悍《せいかん》な、と呼んでもいいくらいの目つきだったが、その口から出た言葉は――

「ああ、ユリアン・ミンツ、まったくおしむらくは、お前さんによく似た姉さんがいないことだな。人間、誰でも欠点があるもんだ」

そこへ、やはり訓練をおえたイワン・コーネフ少佐がやってきたので、三人そろってセンター附属のスタンドでアイスコーヒーを飲んだ。欠点がどうこうと話しているうちに、ヤン提督の話になって、ポプラン少佐が断言した。

「ヤン提督は、なまけ者でいいのさ。あの人が勤勉で堅実だったら、当人も周囲の連中も救われないぜ」

「ほんとうにそうですね！」

返事する声に、必要以上に力がこもってしまったような気もする。コーネフ少佐が声をたてずに笑った。けっきょく、皆、おなじ意見をもっているのだろう。

ヤン提督の生きかたは、模範的な軍人のものではないし、道徳業者や愛国屋にたたえられる理想的なものでもない。

だけど、ぼくは提督が好きだし、提督の下で生き残った将兵の数は、ほかのどんな名将の場合よりも多いのだ。

「だけど、全員が生きて帰れたわけじゃない」

と、ヤン提督自身は言う。その深刻さが、いわばヤン提督の戦争観、軍隊観の出発点になっているのだろう。日ごろどんなに昼寝ばっかりしているとしても、ね。

七九七年一月一八日

いままでずっとハイネセンで生活していたぼくが、なんの問題もなくイゼルローン要塞での生活に慣れてしまった。考えてみると、ふしぎなような気もする。

ひとつには、ハイネセンのころからひきつづいて、ヤン提督といっしょだということもあるだろう。それまでは転居《ひっこし》のたびに周囲の人もまったく別人になってしまって、人間関係を最初からやりなおさなくてはならなかった。ちょっと自分でいやなのは、祖母の死で施設にはいったときも、その施設を出るときも、いままでよりましになるだろう、と期待したことだ。

ヤン提督にはじめて会うとき、どんな人なのか、いろいろ考えた。なんといっても、エル・ファシルの英雄なのだ。聖人みたいにりっぱな人か、神経質でかたくるしい人か——どちらの想像もはずれた。ほんとうに、意外な、そしてよい方向にはずれたのだ。

一度だけ、ヤン提督に叱られたことがある。隣家の小鳥をあずかって、餌をやるのを忘れ、フライング・ボールの試合に行ってしまったのだ。試合に勝って——ぼくはチーム点の過半数をひとりであげた——意気揚々とひきあげてきたら、提督が不器用な手つきで、小鳥に餌をやっているところだった。立ちすくんだぼくに、提督はきびしく申しわたした。

「ユリアン、ユリアン、今日はお前、夕食ぬきだよ。理由はわかっているだろうね?」

叱られただけなら、そんなにこたえなかったかもしれない。ヤン提督は、ぼくに夕食ぬきを命じただけでなく、自分も夕食をぬいたのだ。自分じゃ食事がつくれないからさ、という意見もあるけど、外食すればすむことなのだから。翌日の朝、ぼくはふだんの倍ほどの朝食をつくって、おそるおそるヤン提督を待った。そしてその笑顔を見て、とても、とても嬉しかったのだ。

七九七年一月一九日

ハイネセンから通信文の小山がとどいた。ひととおり目をとおしていたヤン提督が、なかのひとつを見ると、しみじみといった感じでため息をついた。

「卒業してから、まるまる一〇年は経っていないのになあ。同級生の三割がもうこの世にいないよ」

それは士官学校卒業生のリストだったのだ。

ぼくはなにも言えなかった。いつかヤン提督が言ったように、士官学校は、〝殺人者もしくは殺人被害者〟の養成学校なのだということを、こういう機会に思い知らされる。ぼくが士官学校を受験するとしたら来年の六月になるが、それにはイゼルローンを、そしてヤン提督のもとを離れなくてはならない。思案のしどころだ……。

戦死者のなかに、アスターテ会戦で亡くなったラップ少佐の名があった。エドワーズ女史の婚約者だった人だ。

ラップという人は、ヤン提督の友人としては、まじめでまともで、そのくせけっしておもしろみのない人ではなかったそうだ。キャゼルヌ少将に言わせると、

「ヤンの傍にいれば、たいていの人間は、まじめでまともに見えるさ」
ということになるけど、するとイゼルローンの幕僚たちは、〝たいてい〟にふくまれないことになるのかしら。

これもキャゼルヌ少将の意見だが、ラップ少佐がいま生きていれば、大佐ぐらいにはなっていたし、ヤン提督の有力な幕僚になっていただろう、という。

だけど、もしラップ少佐が生きていれば、当然、ジェシカ・エドワーズ女史と結婚していただろうし、それを目の前で見るとしたら、ヤン提督だってちょっと複雑な気分になるかもしれない。むずかしいところだろうな、と思う。

七九七年一月二〇日

戦艦ユリシーズ号が、帝国軍の戦艦と接触した——というニュースを聞いたときは、要塞じゅう大さわぎになった。アッテンボロー提督やグエン・バン・ヒュー提督は艦隊に第一級待機を命令するし、シェーンコップ准将は薔薇の騎士《ローゼンリッター》をはじめとする陸戦隊の全部隊を点呼した。

もっともヤン提督は平然としていた。どう考えたって帝国軍のほうから全面衝突に結びつく行動に出ることはありえない。遭遇だとしたらそれっきりだし、偶然でなければなんらかの交渉の申しこみだろう、と言う。

そのとおりだった。二時間後に第二報がはいって、帝国軍から捕虜交換の申しこみがあったという。帝国軍宇宙艦隊司令長官ラインハルト・フォン・ローエングラム元帥の名で。

ローエングラム侯とちがって、ヤン提督には即決の権限がない。ハイネセンの統合作戦本部、さらには国防委員会に報告して裁決をあおがねばならないのだ。

提督は会議をひらいた。参列したのは、副官のグリーンヒル大尉をのぞくと、将官級の人ばかりだ。会議は一時間ほどで終わった。なにが話しあわれたか、とても興味があるけど、機密だろうから、訊ねることはできない。

捕虜交換には、同盟政府は喜んで応じるだろう、という。ちかく選挙があるから、トリューニヒト臨時政権は人気とりをしたいし、帰ってくる捕虜たちの票もほしいからだそうだ。

ところで、帝国軍には〝捕虜〟という正式名称はないのだそうだ。自由惑星同盟《フリー・プラネッツ》という国家の存在を、帝国軍は認めていない。わが軍は〝叛乱軍〟とか〝叛乱勢力〟とか呼ばれていて、ヤン提督もぼくも〝叛徒〟ということになる。自由惑星同盟の全市民が、帝国からみると、叛徒であり政治犯であり思想犯なのだという。

だから、同盟と一五〇年も戦っているのは、帝国にとっては内乱であって戦争ではないのだ。

「事実を事実として認めないのはいかがわしいことさ」

とヤン提督は言うのだが、どうやら捕虜交換の申しこみから、なぜかいつかの〝宿題〟を思いだしたらしい。つまり、ローエングラム侯はどうやって門閥貴族連合軍に勝つか、ということだ。その後、いくつかのヒントから、けっきょく、同盟軍に干渉させないことが重要だということだけはわかった。

「ええと、つまり、ローエングラム侯が同盟軍を分裂させようとするということですか？」

そう答えたのは苦しまぎれだったのだけど、結果として悪くないポイントだったらしい。

「そう、それだ！」

ヤン提督は指を鳴らしたが、あまりいい音がしなかったので残念そうだった。ひとまず、ぼくは安心した。夕食後のことだったので、アルーシャ葉の紅茶をだしてから、

「でも、どうやって同盟軍を分裂させるんですか？　同盟軍は帝国軍みたいに、二派にわかれてあらそっていたりしませんよ」

「鋼鉄の一枚岩のようだと思うかい？」

提督はくすくす笑った。

そう言われると、ぼくも反論なんかできようがない。

ヤン提督が、同盟全軍の最高司令官で、同盟全軍がイゼルローンのようだったら、口げんかは絶えないだろうけど一枚岩と言えるだろう。だけど、現実はそうではない。

ヤン提督はこんなに若いのに、もう大将だ。上には元帥しかない。帝国軍だと元帥と大将のあいだに上級大将という階級があるそうだが。昨年まで同盟軍には元帥が二名いた。シトレ元帥とロボス元帥だが、ふたりとも退役してしまったので、いまは同盟軍の最高位は大将だ。

そして、ヤン提督が若いのに大将になったことをねたんだりそねんだりしている人が、きっといるはずだ。いないほうがおかしい。

「ヤン・ウェンリーは運がいいだけさ」

という声を、ハイネセンにいたころ何度も聞いたことがある。そのたびに、腹がたってたまらなかった。

それに、軍部では、ヨブ・トリューニヒトを支持する勢力が主流なのだ。国防委員長時代、予算を獲得するのに辣腕《らつわん》をふるったからだ。

「提督、ヨブ・トリューニヒトはひょっとしてルドルフ・フォン・ゴールデンバウムのように、民主共和政治をくつがえす元兇になるでしょうか」

「ルドルフと比較されるとは、ヨブ・トリューニヒトも光栄なことだね」

提督の声に好意がこもっていたとは、けっして言うまい。

「まあ、ヨブ・トリューニヒトの野心の種類は、ルドルフとはちょっとことなるだろうね。ルドルフは民衆を支配しようと望んだ。ヨブ・トリューニヒトは民衆に支持されようと思っている。ただし、内実なしにね」

もしヨブ・トリューニヒトが、制度的にも、集中された権力の所有者になったとしたら、銀河帝国のローエングラム侯とおなじ位置に立つことになる。個人の力量と魅力とで、ローエングラム侯に対抗することになるのだ。そんな危険な途《みち》を、ヨブ・トリューニヒトがとるとは思われない。

「トリューニヒトにとって、民主共和政治とは、権力を守るための甲冑《かっちゅう》だからね。専制にたいする民主共和政の道義的な優越こそが、彼の立場を強化する。それをあの男は充分に承知しているさ」

トリューニヒトは軍事力偏重の好戦主義者のように見えるが、けっしてそうではない。あの男にとっては軍事力も好戦主義も、道具であり衣裳であるにすぎない、と、ヤン提督は言う。あれは金属にペンキを塗るようなもので、いくらでも塗りかえられるし、内部にはしみとおらない、とも。とにかくトリューニヒトの悪口なら、いくらでも出てくるのがおかしい。

七九七年一月二一日

『現代名士事典』とかいう本が出ることになって、ハイネセンの出版社が勝手にヤン提督の生年月日とか経歴とかを調べたあげく、アンケートを送りつけてきた。〝尊敬する人物〟、〝愛読書〟などの項目にまじって〝信条〟というのを見つけたヤン提督は、こう書いた。

「自分の信条を他人にひけらかすのはやめよう」

これが他の人がもっともらしくならべたてた信条——たとえば〝滅私報国〟とか〝民主主義への献身〟とか〝結果は努力の質と量に比例する〟とか〝たゆまぬ前進〟とか、そういったもの——のなかにまじると、とにかく目だつ。効果を計算してのことなら、なかなかヤン提督も曲者《くせもの》ということになるけど、あいつの場合はたんに本音というだけだからなあ——とキャゼルヌ少将が笑いながら言う。ちなみに、キャゼルヌ少将の信条は、と訊いたら、笑うのをやめて一言、〝家内安全〟だそうだ。

七九七年一月二二日

キャゼルヌ家で食事を多めにつくったりすると、ヤン提督とぼくをよく招いてくれるのは、恐縮だけどとてもありがたい。なにしろキャゼルヌ夫人の料理はおいしいし、メニューが豊富だし、ぼくはお客さまあつかいしてもらったうえに、料理の勉強になる。

今日も夕食にお呼ばれしたので、とびきりでかいチョコレートケーキと花束をおみやげにして参上した。ケーキを買ったのはぼくだけど、花束を買ったのはヤン提督で、なんの花か知らないけど、上品で綺麗なのをえらんできたそうだ。ぼくも見たけど、なんの花かわからない。

「サザンカの一種だわね」

とキャゼルヌ夫人が言ったのは、さすがだった。

フォンデュの夕食をすませたあと、ぼくはシャルロット・フィリスに絵を描いてやった。ヤン提督はキャゼルヌ少将と三次元チェスをやって、千日手になってしまったらしい。「とにかく負けなかったぞ」ということだ。

七九七年一月二三日

今日はワルター・フォン・シェーンコップ准将に射撃と白兵戦技の訓練をうけた。最初のときと同様、ハードで容赦ない。

ひととおりすんだあと、休息室でコーヒーをごちそうしてくれたが、ぼくの手持ちの教本《マニュアル》に、〝戦技にも道というものがある〟と記してあるのを見て、准将はせせら笑った。

「人殺しの技術に道をうんぬんするほど、おれは堕落していないよ。まさか、ユリアン、人格的にすぐれたほうがトマホークのふりまわしあいで勝つなんて思っていやしないだろうな？」

むろん、そんなことは思っていない。ヤン提督からも教わったけど、才能と技術と人格を混同するほど愚かなことはない。勝利の原因を道徳的優越に帰するほど、ばかばかしいことはないのだ。そう言うと、シェーンコップ准将はうなずいて、人の悪い笑いを唇の端にうかべた。

「なるほど、ヤン提督はよくわかってるらしいな。自分が人格者なんぞではないということが……」

七九七年一月二四日

キャゼルヌ少将は毎日いそがしいらしい。たぶんヤン提督より仕事が多いのではないだろうか。

イゼルローン要塞の外殻やら動力設備やら港湾施設やらは半永久的な寿命をもっているけど、民需、つまり一般生活レベルの設備には、そろそろ寿命がきているものがある。当然、交換しなければならないのだが、帝国でつくられたものだと、同盟の工業製品と規格がちがったりするので、家庭のソケットひとつ取りかえるのに、一ブロックごと電気系統を取りかえなくてはならなかったりするそうだ。

少将が説明するには、

「フェザーン産の製品だったら、わが国にもあるから取りかえやすいんだが、帝国産の製品だとそうもいかなくてなあ」

「いちばん、基本的な設備から、全部、取りかえるんですか？」

「予算がないんだ。あまり大規模な交換もできんよ」

アムリッツァ会戦で二〇〇〇万人以上の将兵が亡くなったので、政府は遺族への一時金だけで二五〇〇億ディナールを支出せねばならず、来年以降は遺族年金の総額も大きくふえる。当然、ほかの予算にしわよせがくる。イゼルローンは優先されているほうなのだが、それでも充分ではない。

「だから、使用されてないブロックの設備を取りはずして、別のブロックで使用する。これでまあ、あるていどはおぎなえるが、それでたりないときは……」

「どうするんです？」

「帝国の工業製品を輸入するさ」

「そんなことができるんですか⁉」

ぼくがあまり驚いたので、キャゼルヌ少将はにやにや笑った。

「そうむずかしいことでもないんだがね」

「戦争してるのに？」

「フェザーンを経由して三角貿易をやるのさ。帝国からフェザーンが輸入する、一度フェザーンの所有になったら、どう処理しようとフェザーンの勝手だからな」

なるほど。それでフェザーンの存在に価値があるわけか。それにしても、帝国だって、一度フェザーンにわたった製品がどうあつかわれるか、全然知らないはずはないだろうに。

「経済とはそういうものだよ。理念じゃうごかない、あるのは現実だけだ。その点、政治や軍事よりシビアかもしれんぞ」

政治や軍事だって理念だけではうごかないだろう、と思うけど、キャゼルヌ少将に言われると、経済というもののしたたかさを納得させられてしまう。あとでそのことをグリーンヒル大尉に話したら、こう答えが返ってきた。

「そうでしょうね。たかだか一〇〇グラムのお肉だって、理念どおりには焼きあがらないもの」

七九七年一月二五日

「ヤン提督の精神衛生のためには、ハイネセンからはいるニュースを半分はシャットアウトする必要があるわね」

フレデリカ・グリーンヒル大尉がぼくにそう言った。というのも、今日ハイネセンからはいったニュースが、ヤン提督を不機嫌にしたからだ。

ハイネセンでは、例の〝憂国騎士団〟が大活躍しているらしい。反戦派の集会になぐりこんだり、逆に主戦派の政治家を応援したりしていたが、今度、ひときわはでなことをやってくれた。

焚書《ふんしょ》である。

ハイネセンの都心のグエン・キム・ホア広場で燃やされた本は三万八〇〇〇冊にのぼるそうだ。戦争の悲惨さをうったえた本、軍上層部のミスや腐敗を批判した本、この前ぼくが読んだ『無実で殺された人々』もふくめて、〝非国家的で社会に害毒をおよぼす書物〟が焼かれた。非国家的も害毒も、憂国騎士団が決めることなのだろうか。

「これが自由の国のやることとか。末期症状もいいところじゃないか」

ヤン提督はジョークも出ないほど本気で怒っている。〝愛国心は、悪党の最後のよりどころ〟という古い言葉があるそうで、ヤン提督は全面的にそれを支持している。提督に言わせると、愛国心ほど安っぽくて便利な商売の道具はないのだそうだ。〝ハイネセンの愛国屋ども〟と言うときの提督の口調を、文字で再現できないのが残念だ。

ほかの人たちはどう思っているだろう。

「おれはどんなときだって反戦派の味方だよ。理由はただひとつ、反戦派って連中が、国家権力に味方してもらった例は、歴史上にひとつもないからな」

シェーンコップ准将の口調も表情も、冗談めかしてはいるけど、意外に真剣に語っているように、ぼくには思えた。

いっぽう、ポプラン少佐も反戦派の味方を自称している。

「顔を白頭巾《ずきん》で隠したむさくるしい野郎どもと、素顔をさらしている美人と、おれがどちらを応援する気になるか、いちいち説明しなきゃわかってもらえんかね、ミンツくん？」

「説明さえしていただけたら、すぐにわかりますよ」

ぼくはやり返したけど、考えてみれば奇妙なことかもしれない。軍人が反戦派びいきというのは。でも、最前線で戦って、流血の悲惨さを身にしみて知っているからこそ、後方の安全な場所で、いい気になって戦争を賛美している連中に、腹がたつのかもしれない。

それにしても、ポプラン少佐の言いかたは、やはりポプラン少佐らしい。素顔の美人とはジェシカ・エドワーズ女史のことだ。ヤン提督と彼女のことを、少佐は知っているのだろうか。知らないだろうけど、知っていても遠慮なんてしないだろうな。

七九七年一月二六日

イゼルローンでも独自の電子新聞を発行しようといううごきがあるそうだ。軍人と民間人をあわせて、最終的には五〇〇万人の巨大都市になるのだ。新聞がいくつかあってもいい、と、ヤン提督は言う。

「民主主義とはなにか？　複数の政党、複数の新聞、複数の宗教、複数の価値観……」

「複数の恋愛、複数のベッド」

と、ポプラン少佐がまぜかえす。

ヤン提督は、しつこくつきまとうインタビュアーが嫌いなはずだったのだが、

「私はジャーナリストを嫌ったことは一度もないよ。ジャーナリストと称する一部の寄生虫が好きでないだけだよ。政治的な圧力をかけられるようなことをさけて、一般市民のプライバシーや名誉に傷をつけたり、もっと積極的に、権力者の利益を代弁するような奴らが嫌いなだけさ」

「権力者よりも?」
「私は権力者も好きじゃないが、権力者の排泄物を食って自分も権力をにぎったつもりになっている寄生虫どもは、もっと嫌いだ! あいつらは下水の……」

提督が急に口をつぐんだのは、グリーンヒル大尉が傍にいることに気がついたからだ。すくなくとも、ヤン提督は、ご婦人の前で下品な言葉づかいをしないようにとは心がけている。問題は、ときどき、なにが下品なのかわからなくなる点にある。なにしろ、提督は一六歳まで父親に育てられて、それ以後は士官学校と軍隊だから、本気で毒づきはじめると、どんどん過激になっていくのだ。

「わたしも軍隊育ちですから、お気になさらないで」

とグリーンヒル大尉は寛容に言ってくれるけど、ヤン提督にしてみると、はいそれならば、とまで甘えることもできないらしい。

それにしても、ヤン提督は、エル・ファシル脱出行で英雄にならなかったら、統合作戦本部の資料室か士官学校の附属図書館で、のんびり勤めていられたのだろうか。

「いやいや、そうはならなかっただろうね」
「なぜです?」
「忘れてはいけないよ、ユリアン。私がエル・ファシルから逃げだすことができなかったとしたら、帝国軍の捕虜、じゃない、矯正《きょうせい》を必要とする思想犯、叛徒ということになっていた。いまごろ辺境の矯正区で、悪くすればのたれ死していたかもしれないな」

そうかもしれない。帝国の〝矯正区〟というのは、それはひどいところで、生きていくのがやっとだという。捕虜どうしが、とぼしい食糧を奪いあい、グループをつくって対立し、襲撃しあっているそうだ。

部下に憎まれていた上官などは、食糧をわけてもらえなかったり、私刑《リンチ》にかけられたり、酷寒の夜に宿舎から放りだされたり、それはみじめなことになるそうだ。帝国軍も、いちいち干渉するのはめんどうだから、矯正区の外に逃げようとする囚人（捕虜）を射殺するだけだという。ときどき、生存者と死亡者の数を確認するが、これは死亡者のぶん、食糧や医薬品の配給量をへらすためだそうだ。捕虜たちは、配給をへらされないよう、死者がまだ生きているようよそおう。ときには、帝国軍のほうで、死亡者数をごまかして、よぶんに食糧をうけとり、横流ししたりすることもあるそうだ。奇蹟的に脱走に成功する人もいるし、何年に一度かの捕虜交換で帰国する人もいるけど、帰ったあとで、仲間どうし、たがいに悪口を言いあい、裁判ざたにまでなることがある。

今度の捕虜交換で帰ってくる人たちは、どうだろうか。とにかく、生きて帰れるのは幸福なのだろうけど。

七九七年一月二十七日

引っぱりだこになるというのは、場合にもよると思うけど、けっこう気持ちがいいものだ。

要塞内の各部局が、トーナメント形式でフライング・ボールの対抗試合をおこなうことになって、ぼくがハイネセンの中等教育リーグで二年連続得点王だったことを、皆が思いだしたというわけである。

「ユリアンはうちのチームにはいるのが当然だ。司令官の従卒なんだから、司令部に属するのが理というものだろう」

とパトリチェフ准将が言う。この人が司令部チームの監督なのだ。ぼくにも、たぶんそうなのだろうと思われるが、空戦隊チーム主将の意見はことなる。

「おい、ユリアン、お前さんはおれの教え子であるからには、義理と感情の双方が、空戦隊チームに加入することを命じているはずだぞ」

「でも、ポプラン少佐、ぼくはシェーンコップ准将の弟子でもあるんですよ」

「いかんいかん、薔薇の騎士《ローゼンリッター》の奴らに、身は売っても心を売ってはいけない」

とんでもない誤解をされるような言いかたは、しないでほしい。

ヤン提督が命令すれば、ぼくはそのチームへ行くつもりだけど、〝私が口をだせば不公平になる〟という理由でなにも言ってくれない。まさか軍隊でスカウト合戦の対象になるとは思わなかった。

「ユリアン、ユリアン、ユリアン」

と、ポプラン少佐が犬でも呼ぶみたいに連呼する。次善の策というのを考えだしたらしいのだが、

「どうだ、どこのチームにはいるにしろ、薔薇の騎士チームをひとり再起不能にしてくれたら、女の子を紹介してやるぜ」

というからあきれた。評判では、空戦チームと薔薇の騎士チームが優勝候補の双璧《そうへき》なのだそうだ。なにしろ公然と賭けがおこなわれていることでもあるし、過激になるのもむりはないかもしれない。

「だめですよ、そんなこと」

「女の子ふたり、とびきり美人でもか」

「なんと言われてもだめです」

「お前って、ほんとうにわがままな奴だなあ」

「どっちがわがままですか!」

「チョコボンボン、食うか?」

「いりませんよ」

「そう言わずに、うけとれよ。うけとっても便宜《べんぎ》をはからなきゃ賄賂にはならないんだから」

冗談のつづきだと思ったから、けっきょく、うけとって、キャゼルヌ家の令嬢《レディ》ふたりに全部

やってしまった。ところが、キャゼルヌ家のご亭主は、あまり冗談でもないような表情で、

「おい、毒味しないで大丈夫か。ポプランの奴、どうせユリアンが味方にならないなら、というんで、下剤ぐらいしこんだかもしれんぞ」

試合は二月一日だが、その日までさぞ雑音でにぎやかなことだろう。

七九七年一月二八日

ヤン提督がよく士官学校を卒業できたものだ、と、ときどき思うことがある。総合成績では中の上だったけど、これは戦史の成績が異常によかったからで、これと戦略論以外の科目は平均以下だったということだ。

いちおうヤン提督だって、耐寒訓練、耐熱訓練、耐G訓練などを合格してきているはずなのだ。一課目でも落第点だったら進級不可、たちまち退学、というのが士官学校のきびしい点だから。

「むろんやったよ」

と提督は言う。

「だから、見ろ、士官学校時代に体力も忍耐力も費《つか》いはたしてしまった。あとはゆるゆると死んでいくだけさ」

自分の死にかたをえらべるとしたら、酒をたくさん飲んで凍死するのがいちばんいい、とヤン提督は言う。おなじことをシェーンコップ准将も言っていたから、楽な死にかたではあるのかもしれない。機会があったら、ポプラン少佐あたりの意見をきいてみたい。

もっともヤン提督は、野外訓練場で凍死寸前になったことはあるそうだ。「そりゃあいい気持ちだった」と提督は言うけど、ためしに経験してみるわけにもいかない。そのときは、ヤン提督もよく助かったものだ、と思った。なんでも、当時の教官が退官をひかえた老大尉だったそうで、もし士官学校生を訓練中に死なせたりしたら、年金がもらえなくなってしまう。円満に退官する際には少佐に昇進して、退職金も年金も少佐クラスのものがもらえるはずだから、教官も必死だったにちがいない。

「教官の年金が無事だったのは、私が助かってあげたからさ」

とヤン提督は言うのだけど、ちょっとずうずうしい言いぐさだと思う。最初から行方不明にならなければいいことだもの。

でも、提督がそのとき発見してもらえなかったら、教官の老後がふいになっただけではない。ぼくの人生だって変わっていたはずなのだ。まだ施設にいたかもしれないし、トラバース法でべつの軍人の家へ送りこまれていたかもしれない。いずれにしても、現実の、現在のぼくより幸福になっていることはありえないだろう。

「ほんとうによく助かりましたねえ」

と、心からぼくは言って、その教官に感謝した。

訓練中の部隊からはぐれたとき、ヤン提督は、むやみにうごいても体力を消耗するだけだから、じっとして救助を待とうと思ったそうだ。その判断が正しかったことを、提督は自慢するのだが、それは提督の場合、思考よりも本能の結果ではないかと思う。ちなみに、キャゼルヌ少将の意見はこうだ。

「ヤンが凍死するわけないだろう！　冬眠して、春になったらのこのこ出てくるだけさ」

七九七年一月二九日

積極的な意欲がなくても、朝からデスクワークにはげまなくてはならない日が、ヤン提督にだってあるわけで、今日はまさしくそういう日だった。ぼくも提督のお伴をして司令官執務室に詰めたものの、グリーンヒル大尉とちがって暇をもてあましてしまった。

来月一九日の捕虜交換式が正式に決定して、国内各地の捕虜収容センターからイゼルローンへ、何十万人もの帝国軍の捕虜が送りこまれてくる。そういったことをさばくのは、主としてキャゼルヌ少将だけど、提督だってそれを手つだうこともあるのだ。

お昼になったら、キャゼルヌ家のシャルロット・フィリスが夫人の代理で差しいれにきてくれた。オニオン・スープがすごくおいしかった。今度ぜひ、つくりかたを教わろうと思う。

七九七年一月三〇日

一週間前から準備が進められていた大規模な艦隊運動演習が、今日おこなわれた。模擬戦もふくまれて、開始から終了まで八時間がかりだ。ぼくはヤン提督の指揮デスクのそばで、スクリーンごしに八時間つづけて見学した。

ヤン提督の指揮するままに、大艦隊が光の帯となってうごくありさまは圧倒的だった。それにしても、なぜ提督は椅子ではなくデスクの上にすわって指揮をとるのだろう。理由はわからないけど、なんとなく提督にはそれが似あうから不思議だ。

結果は満足すべきものだったらしく、ヤン提督は責任者のフィッシャー少将をほめたたえた。

「フィッシャーの艦隊運用は名人芸だ。彼がいるかぎり、私は実戦指揮になんら不安をいだかずにすむよ」

フィッシャー提督という人は、銀髪をした中年の人で、どことい って特徴もない。シェーンコップ准将などにくらべると、地味が軍服を着て物蔭に黙って立っているような人だ。だけど、ヤン提督と艦隊にとって、なくてはならない人だという点では、けっしてシェーンコップ准将に劣らない。

それはムライ少将などもそうだと思う。ヤン提督には参謀など必要ないともいわれるけど、この人がいると雰囲気がひきしまって秩序正しくなるように思う。さらに副参謀長のパトリチェフ准将。

「パトリチェフのおっさんは無能じゃないが、参謀の才能がいちばん欠けているんじゃないか」

と、ポプラン少佐はひどいことを言うのだが、たしかにパトリチェフ准将は、あまり参謀というタイプではない。陽気で豪放で、ムライ少将とは対照的だ。このふたりをとりあわせたのはヤン提督の人事のたくみさだと思うけど——あるいはひいき目にすぎないかな。

七九七年一月三一日

今年ももう一カ月がすぎてしまった。

後世の歴史家が——という言いかたは、ヤン提督の受け売りだけど——この年を見てどんな年だと評価するだろう。

「未来の人間がうらやましいよ。私やユリアンがどんな生きかたをしたか、トータルで知ることができるんだからね」

ヤン提督はそう言うのだが、ぼくの場合、これから自分がどんな生きかたをするのか、という点がたぶん問題だと思う。トータルどころか、まだたった一五年たらずを生きてきただけなのだ。ヤン提督の、ちょうど半分。そして、これからさきの一五年で、ヤン提督の足もとにたどりつくことができるだろうか。しかも、ぼくが進むあいだには提督も進むのに。

「追いつくなんて遠慮深いことせずに、飛びこしてやるんだな」

とキャゼルヌ少将は言うし、シェーンコップ准将ときたら、

「ヤン提督が昼寝をしているあいだに走ることだな。かなり距離がちぢまるんじゃないか」

とからかう。ポプラン少佐は笑う。

「ユリアンにはヤン提督がいるが、ヤン提督にはヤン提督がいない、つらいところだよな」

三人とも、ぼくを応援してくれているのだ。逆に言うと、三人ともそれぞれ他人とことなる道を自分のペースで歩いていて、師父《しふ》の（いい言葉だ、これもヤン提督から教わった）あとをずっと遅れて追いかけるぼくを、興味と、ひょっとして同情もふくめて、見物しているのかもしれない。

今日、ハイネセンでの主戦派の集会の模様を、通信スクリーンで不快そうにながめていたヤン提督が言った。

「ユリアン、基本的なところを復習しておこうよ。戦争はなぜ悪なのか、ということだ。それはなによりもまず、無意味な死、無益な死、犬死を大量生産するからだよ。そうじゃないかい？」

ほんとうに、そのとおりだ。煽動屋や愛国屋にだまされてはいけない。彼らは、自分が生き

ているのに死を賛美する。彼らのために他人が死んでくれなければこまるからだ。彼らは犠牲や献身をほめたたえる。他人が彼らのために犠牲になったり献身したりしてくれなければこまるからだ。――こう書いてみて、けっきょくこれもヤン提督から学んだ考えだということに気づく。ぼくはヤン提督という大樹の幹から樹液を吸いとる虫のような存在だ。そしてときどき消化しきれなくなる。ぼくは虫でなく、小さくてもいい、いつか苗木になれるのだろうか。せめて、いまは、ヤン提督から吸った樹液の一部だけでも、できるだけ正確に書きとめておこう。

「国家、法律、社会制度、コンピューター、そういったものはすべて道具にすぎない。人間がなるべくたがいに迷惑をかけずに生きていくためのものね。同時に人間が人間を支配するための手段にもなる。法律やコンピューターが人間を支配することはない。そういった道具の使用法を熟知した少数の人間が、多数の人間を支配する。古代には、神の声を聞いたと称する人間が、一国すら支配した。神とは、そういった支配者が自己の権力を正当化する道具であり、人民を思考停止させるための麻酔薬でもあったわけだ。のちには、近代主権国家が神にとってかわった。だけど、つねに変わらなかったのは、そういう道具を聖なるものとして強制的にあがめさせるためのもうひとつの道具、つまり軍隊というものの存在だ」

そしてヤン提督はぼくに言った。

「ユリアン、軍隊は道具にすぎない。それも、ないほうがいい道具だ。そのことをおぼえておいて、そのうえでなるべく無害な道具になれるといいね」

〝なりなさい〟ではない。むろん〝なれ〟でもない。〝なれるといいね〟――これがヤン・ウエンリーという人なのだ。まずそのことを、ぼくはずっと忘れないだろう。

第五章　旧住民VS新住民

七九七年二月一日

帝国軍との捕虜交換式も、日時が今月の一九日、場所はイゼルローン要塞と正式に決定して、うけいれや式典の準備がすすめられることになった。

それにしてもすごいスピードで事態がすすんでいく。ユリシーズ号が帝国軍の提案を通達して二週間と経《た》っていないのに、もう具体的にスケジュールがくまれてしまった。

「選挙にまにあわせなきゃならんからな、二〇〇〇万票プラス家族の票で五〇〇〇万票だ。ちゃんと人道色の化粧もできるしな。政府がはりきるわけさ」

キャゼルヌ少将が、説明するふりで皮肉を言う。政府は決めるだけでいいけど、実行するほうはたいへんだ。ヤン提督がキャゼルヌ少将をイゼルローンに呼んだのは、まさにこのためだから、〝捕虜交換事務総長〟とかいう臨時の肩書をつくって責任を押しつけたのは、いっそあっぱれだった。

「もし帝国軍の捕虜たちが民間人に危害をくわえたらどうなる？」

「それどころか、もし二〇〇万人もの捕虜がいっせいに暴動をおこしたら、たいへんなことになるぞ。彼らは要塞の内部事情に精《くわ》しい。動力システムを破壊されたりしたら一大事じゃないか」

「民間人を人質にして、要塞をあけわたすよう脅迫されたらどうする？　わが軍がイゼルローンを奪取した、そのやり口を鏡に映されることになるぞ」

……と、キャゼルヌ少将以外の幕僚たちもいろいろ考えて、悩みやら不安やらを捨てきれずにいるようだ。

「いっそローエングラム侯に頼んで、布告をだしてもらうさ。せっかく成立した同盟軍との信頼関係をそこなう者は、これを処罰する、とね」

というポプラン少佐の提案は、あんがいまじめなものではなかったかと思うけど、前科が多すぎる人だから皆に無視されてしまったのは気の毒だった。

最高責任者であるはずなのに、のほほんとしてお茶を飲んでいるヤン提督に、帝国軍がこの好機を利用して要塞を再奪取する危険はないのか、訊ねてみた。

提督は顔の前でゆっくり手をふった。

「いや、それはないね、ユリアン。いま小策を弄《ろう》してイゼルローン要塞を奪取したとしても、それを維持する余力は、ローエングラム侯にはない。彼にたいする同盟軍の敵意をかうだけだ。

どうもね、ユリアン、ローエングラム侯はイゼルローンなど眼中にないのではないか、と、私は思っている」

話をしてくれたのはそこまでで、あとは考えこむようにヤン提督は沈黙してしまった。こういうとき邪魔してはいけないので、紅茶のセットをそろえてひきさがった。

〝捕虜交換事務局〟のオフィスをのぞいてみると、総長閣下は激務の合間にひと息いれていて、ぼくを呼びいれてくれた。

「世の中のあほうどもは、なにか決定すれば事態がひとりでにうごきだすと思っているのとちがうか」

捕虜のリストだけでも、六種類つくらなくてはならないのだという。姓名をアルファベット順にならべたもの、階級別、所属部隊別、捕虜になった年月日別、兵科別（工兵とか陸戦隊とか）、出身星系別――それに傷病者や病死者のリストも必要だ。キャゼルヌ少将は、ハイネセンから転送されてくるリストを再編している最中だったのだ。

「午後からはユリアンの出番だな。応援にはちょっと行けないが、優勝しろよ」

そう、今日はもうひとつのニュース。要塞内各部局対抗のフライング・ボールの試合がおこなわれた。お茶を飲みあきたらしいヤン提督も試合場にやってきて、司令部チームの優勝に一〇ディナール賭けた。これは、賭け金の最高額なのだ。あまり大金を賭けると、笑ってすませられないからだ。

提督は人波をかきわけてぼくにささやいた。

「ユリアン、けがだけはするなよ。どうも、出場選手のなかでお前が一番華奢《きゃしゃ》みたいだからな」

「大丈夫ですよ」

「相手がポプランだったら、顔か股をねらうんだね。効果は保証するよ」

と、これも見物役のコーネフ少佐が、コーヒーの紙コップを片手に言う。

もう疲れているし、午後の試合経過を全部書いても意味がない。結果だけ書こう。

ぼくは三試合で五四得点をあげ、最多得点賞と敢闘選手賞をもらった。ぼくの所属する司令部チームは準優勝だった。優勝したのは空戦隊チームで、最優秀選手賞を獲得したのはコールドウェル少尉という人だ。ポプラン少佐は、第二戦で〝薔薇の騎士《ローゼンリッター》〟チームのひとりと空中衝突して退場しなければ、最優秀選手になれたかもしれない。

賞品のひとつは、ポプラン少佐にお見舞にもっていくことにしよう。喜んでくれるはずだ。なにしろ一辺五〇センチもあるチョコボンボンの大箱だもの。

ヤン提督は、一〇ディナールを損したけど、ぼくが賞品をもらったので上機嫌で、夕食をレストランに招待してくれた。いい一日だった。

七九七年二月二日

ヤン提督の言葉がすこし気になっている。

〝ローエングラム侯は、イゼルローンなど眼中にないと思う〟という、あの言葉だ。

イゼルローン要塞がつくられるずっと以前から、この回廊は同盟軍にとっても帝国軍にとっても、重要な戦略上のポイントだったはずだ。リン・パオ元帥とユースフ・トパロウル元帥のコンビが、帝国の大軍を潰滅させたのも、ブルース・アッシュビー元帥が戦死したのも、この回廊の周辺でだった。ヤン提督が魔術師《マジシャン》ぶりを発揮して、要塞を無血占領するまで、どれほど多くの血が流されたことだろう。それなのに、ローエングラム侯はイゼルローンを無視するという。そんなことが可能なのだろうか。

「正確にいうと、イゼルローンを要素にいれずにすむ戦略を確立しようとしているわけだ。戦略と戦術の区別をつけなきゃいけないよ、ユリアン」

とヤン提督は言う。ヤン家の一員になるまで、ぼくは戦略も戦術もおなじものだと思っていた。けっきょく、戦略とは戦争全体の勝敗を決めるための基本的な構想とそれを実現するための技術。戦術とは局地的な戦場で勝敗を決するための、いわば応用の技術。

「状況をつくるのが戦略で、状況を利用するのが戦術だよ」

ともヤン提督は言う。

立体TV《ソリビジョン》のドラマで、主人公の士官やら刑事やらが、「おれの勘がそう告げている」なんて台詞を吐くと、ヤン提督は、「ふうん、勘でわかるんだってさ」と、ものすごく意地悪な口調でつぶやくのだ。

「軍人の勘が全部あたるのなら、負ける奴はいない。警官の勘が全部あたるのなら、無実の罪に泣く者はいるはずがないさ。ところが現実はどうだ？」

それはわかる。以前に読んだ『無実で殺された人々』という本にも、物証もなしに捜査官の勘とやらで逮捕されて、処刑されたあとに真犯人が出てきたというケースが、いくつものっていた。で、ヤン提督はさらに言う。

「戦略には、勘なんかのはたらく余地はない。思考と計算と、それを現実化させる作業とがあるだけだ。たとえば、ある方面に一〇〇万の兵力を配置するためには、兵力それじたいのほかに、それを輸送するハードウェアと、一〇〇万人ぶんの食糧と、それらすべてを管理するソフトウェアが必要で、そういったものは勘からは生まれてこない。だから、職務に不誠実な軍人ほど戦略を軽視して、戦術レベルで賭けをしようとする。さらに無能で不誠実な軍人になると、精神論で戦略の不備や戦術の不全をごまかそうとする。結果として、精神力で勝ったということはある。食糧や弾薬を補給もせずに、闘志で敵に勝つことを前線の兵士に強要する。だけど最初から精神力を計算の要素にいれて勝った例は、歴史上にひとつもないよ」

ヤン提督の口調は強かった。

「少数で多数を撃破する戦いが、なぜ有名になると思う？　そんな例はめったにないからだよ。

一〇〇の会戦のうち九九までは、兵力の多いほうが勝つ」

むろん、ただ多いだけではだめで、彼らには充分な食糧と武器弾薬を補給し、戦場や戦況にかんする正確な情報をあたえなくてはならない。そして、戦場においてもっとも有能に部隊を指揮しうる者をえらんで、必要な場所に配置する。そしてそこからが、ようやく戦術家の出番なのだ。

「戦略は構想だ、と私は言ったけど、あるいは価値判断だというべきかもしれないね。戦略の段階で最善をつくしておけば、戦術レベルでの勝利はえやすくなる。なあ、ユリアン、私は奇蹟を生むとか一部で言われているけど、それは戦術レベルでのこと。戦略レベルでは奇蹟も偶然もおこりっこない。だから戦略こそ、ほんとうに思考する価値があるんだよ」

できるだけ正確に、書きとめておこう。いまはまだ完全にほど遠いけど、いつか提督の言葉の意味を理解できる日がくるものと思いたいから。

七九七年二月三日

キャゼルヌ少将はますます多忙になった。

二〇〇万人の帝国軍捕虜を収容し、彼らに食事をあたえ、一兵もそこなうことなく帝国軍にひきわたす。二〇〇万人の同盟軍捕虜をうけとり、食事をあたえ、一兵もそこなうことなく首都に送りかえす。それやこれやで、のべ六〇〇〇万食の臨時食を用意し、のべ五〇〇隻の巨大輸送船を要塞の内外に停泊させねばならない。寝るだけのスペースは充分にあるが、寝具や洗面用具だって、敵味方で四〇〇万人ぶんともなればたいへんである。

「いやあ、キャゼルヌ少将もたいへんだ。そのぶん、吾々《われわれ》がゆっくり休んでやろう」

と口にはださないが、ヤン提督は、そう言いたげに、毎日、デスクに両脚を投げだしている。眠ったふりで戦略をねっているのか、それともその逆なのかしら。

「もしキャゼルヌ少将がその気になったら、ヤン提督の怠惰《たいだ》と油断に乗じて、この要塞をのっとれるのじゃありませんか」

いやみを言ってみたら、提督は平然として、

「司令官職までキャゼルヌ先輩がひきうけてくれたら、楽になっていいなあ」

と言う。このうえ楽になったら、なにをする気だろう。

ヤン提督は、他人に場所をとられて怒る人では、まったくない。昼寝をする場所さえあればいいのだろう――というのは冗談だが、人には向き不向きがあって、不向きなことをむりにする必要は全然ないと思っている。

戦艦ユリシーズが帝国軍から捕虜交換の提案をうけとったとき、ヤン提督はぼくと三次元チェスをやっていたのだが、銃をもたずに指令室へ行こうとしたので、ぼくはあわてて追いかけて銃をわたそうとした。するとヤン提督は、いらないいらない、と手をふってぼくに質問した

ものだ。

「もし私が銃をもっていて、撃ったとしてだ、命中すると思うか？」

「……いいえ」

「じゃ、もっていてもしかたがない」

もしかしてヤン提督は、自分が射撃がへたなのを自慢しているのではないだろうか。そうとすら思えるのだが、フレデリカ・グリーンヒル大尉の意見は、すこしちがう。

「まさか、そんなことを自慢はなさってないと思うわ。それに、提督が実際に射撃なさるところを、誰も見てはいないんでしょう？　ひょっとしたら、たいへんな名人なのだけど、おくゆかしく隠してらっしゃるのかもしれなくてよ」

グリーンヒル大尉の主張は、ぼくにすら、ひいきではないかと思える。

「不向きなことを克服するのに時間と労力をついやすほど、人生は長くない」

なんてえらそうなことを言って昼寝している人が、たとえば皆が寝静まった真夜中に、ひとりで起きだして射撃の練習をしているとも思えないし。

ただ、夜中にぼくがふと目をさましてトイレに行ったりすると、提督の寝室や書斎から光が洩れていて、提督がパジャマにガウンをひっかけたままじっと考えこんでいる姿を見たことは、それこそ何度もある。

まったく、そうやって提督は無血でイゼルローンを占領し、アスターテやアムリッツァで大敗の渦中から味方を救いだしてきたのだ。

それにしても、このごろぼくが心配なのは、提督のお酒を飲む量がどんどん増えていっているることで、ぼくは今日、家計にしめる酒代の数値が一年前の五倍ちかくになっていることを告げた。すこしひかえてほしかったのだ。

「そんなに酒量が増えたかなあ。わかった、反省するよ。すこしひかえよう」

じつは、ヤン提督にしめした数字には、すこしトリックがある。ハイネセンからイゼルローンに移って、酒の価格が二割から三割もアップしているのだ。だから、ヤン提督のお酒を飲む量が、たしかに五倍になっているとはいえない。

だけど、酒量が増えているのは事実だし、なるべくならへらしたほうがいい——ただ、ヤン提督は酔って暴れるとか、吐くとか、大声でわめくとか、そういったことのない人だから、その点ではなにも問題がない。

提督の酒量は、戦いがひとつすむごとに増えていくように思えて、それがまた心配なのだ。そのいっぽうでは、お酒ぐらい自由に飲ませてあげたほうがいいのだろうか、とも思う。だいたい、ぼくが分にすぎた意見を生意気に言ってのけたとしても、それをうけいれる義務などヤン提督には全然ないのだ。それなのに、提督は、ぼくの言うことを聞いてくれる。

ぼくは提督の健康が心配なのだ。でも、だからといって、えらそうに指示したりする権利はないはずだ。自分のことを、ひどく未熟で恥ずかしいと感じるのはこういうときなのだけど、でもお酒はへらしてほしいし、ぼくはこまってしまう。

七九七年二月四日

「ユリアン、ひさしぶりにハイネセンにもどれるかもしれないぞ」

陽気な声でヤン提督が言う。ぼくは、いささか不思議に思った。ハイネセンでは提督の嫌いなヨブ・トリューニヒトが絶大な人気と影響力を誇っているし、なんやかやと上官や官僚がうるさいし、〝憂国騎士団〟みたいな暴力集団がのさばっているし、これまであまりハイネセンをなつかしんでいるようにも見えなかった。

けっきょく、提督の目的は、アレクサンドル・ビュコック提督と直接に会って、重要な話をすることにあるらしい。同盟軍の捕虜がハイネセンに帰るとき、歓迎の式典に出席するという理由でいっしょに帰ることにするという。

ぼくも、キャゼルヌ少将の何分の一か、いそがしくなりそうだ。ふたりぶんの旅の準備をしなくてはならないから。

七九七年二月五日

きたるべき捕虜交換式を前に、帝国軍のラインハルト・フォン・ローエングラム侯から、メッセージがとどけられた。内容はつぎのようなものだ。ちょっと長いけど、引用してみる。

「勇戦むなしく敵中にとらわれた忠実な兵士たちに、帝国軍は名誉にかけてつぎのことを約束する。ひとつ、卿《けい》ら全員を、名誉ある賓客《ひんきゃく》として迎える。捕虜となった罪を責めるがごとき残虐かつ愚劣な慣行は、これを全面的に排するものである。ふたつ、帰国した兵士全員に、一時金と休暇をあたえる。帰省および家族との再会をはたしたのち、希望者はみずからの意思をもって軍に復帰せよ。みっつ、軍に復帰を希望する者は、全員、一階級を昇格させる。復帰を希望せざる者は、やはり一階級を昇格させ、あらたな階級をもって恩給をあたえるものとする。

……わが兵士、英雄諸君。恥じるべきなにものも卿らにはない。胸をはって帰国せよ。恥じるべきは、卿らを前線にかりたて降伏もやむなき窮状においこんだ、無能で卑劣な旧軍指導者たちである。私、ローエングラム元帥も、卿らに感謝し、かつ、わびねばならない。最後に、人道をもって彼らの帰国に協力してくれた〝自由惑星同盟軍《フリー・プラネッツ》〟の対応にたいしても感謝の意を表するものである。銀河帝国宇宙艦隊司令長官ラインハルト・フォン・ローエングラム元帥」

これを聞いたとき、ヤン提督は、ベレーをほうりなげて感歎した。

「完璧だ。人道的に非の打ちどころがないだけでなく、政治的にも完全だ。これで、帰国した二〇〇万の兵士は、ローエングラム侯に忠誠をつくすだろう」

「トリューニヒト政権は、二〇〇万票をえると同時に、敵に精兵《せいへい》二〇〇万を補強することになるな」

と、キャゼルヌ少将が、おもしろくもなさそうな表情で指摘した。わが軍きっての撃墜王は顎《あご》をなでながら、

「帰国して、それで万事めでたしめでたしとはいかないものさ。一〇年ぶりに帰宅したら、妻はとっくにほかの男とどこかへ逃げていた、とか、家が焼けて一家離散してしまった、とかさ」

と、他人の不幸を期待しているようなことを言う。

「待てよ、そういえば、わが軍の捕虜には女性兵士もいるだろう。帝国軍の奴らに、ひどい目にあわされてなければいいがな」

男の兵士にたいしては無情なポプラン少佐も、女性にたいしては人道的感情にかられるらしい。

「帝国軍にも、オリビエ・ポプランみたいな男がいるかもしれない、たしかに危険だな」

キャゼルヌ少将がまぜかえすと、ごくおだやかにイワン・コーネフ少佐が同僚をかばった。

「なに、ポプラン級の男は、そうそういるものじゃありませんよ」

笑いたいのをこらえて、ぼくはヤン提督を見た。ヤン提督はデスクに両脚を投げだし、ベレーを顔にのせ、頭の後ろで両手をくんでいた。眠っていないことは、ぼくにもわかった。ローエングラム侯の才能を、宇宙でもっとも高く評価しているのは、おそらくヤン提督だと思う。

こういうメッセージの一片にも、敵将の才能や器量を思い知らされているのだろう。冗談の種にする気にもなれないにちがいない。そのうちほんとうに眠りこんでしまうのかもしれないけど。

七九七年二月六日

二〇〇万人の捕虜を、全員、要塞内部に収容するのはむりだということで、計画が変更になったらしい。ハイネセンの国防委員会からの通達によると、捕虜たちを乗せたままの輸送船団を〝雷神《トゥール》のハンマー〟の射程内に浮遊させておき、要塞内の捕虜が暴動をおこしたときには、彼らを人質にとればよい、ということらしい。

「よくまあ、せこいことを考えるもんだ。小策士が小智をしぼった結果だぜ。委員どものしたり顔が目に見える」

ポプラン少佐が冷笑した。

ヤン提督は、冷笑こそしなかったけど、キャゼルヌ少将に、当初の予定どおり帝国軍の捕虜を要塞内にうけいれるよう指示した。

「国防委員会の通達を無視なさるんですか」

ぼくが訊ねると、ヤン提督は、両手でベレーをもてあそびながら答えた。

「無視なんてしないよ、ユリアン、ただなにしろ私は記憶力が悪いし、いそがしいものだから、うっかり忘れてしまうだけだよ」

「国防委員会がそれで納得するでしょうか。故意の越権行為だと言いたてて、責任を追及してくるかもしれませんよ」

「そのときは帝国に亡命するさ。故郷は遠くからしのぶもの、と言うしね。わが祖国はわれを容《い》れるに狭し、か……」

「提督！」

「どうだい、ユリアン、いっしょに来るかい？」

「…………」

「ローエングラム侯はよく人材を重んじるというし、私がのこのこ出かけていっても、適当に仕事をあたえてくれると思うけどな。それとも、やっぱり同盟に残ったほうがいいか？」

ぼくは精いっぱいしかつめらしい表情をつくった。

「提督、ぼく、おともします」

「そうか、そいつは心づよい」

「でも、ローエングラム侯のために働くのはいやです。どうせ帝国に亡命なさるなら、門閥貴族連合もローエングラム侯も打倒して、提督が独裁者になってください。ぼく、おてつだいしますから」

「おいおい、ユリアン……」

「提督、どうせ冗談をおっしゃるんだったら、これぐらいのことを言ってくださいよ」

ベレーをぬいで、提督は頭をかきまわした。

「こいつは負けたな」

提督は笑い、ぼくも笑ったが、じつは内心でちょっとどきどきしていた。そうなってもいいな、と、ふと思ったのだ。

いちおう民主共和制の国にいるから、ヤン提督はいろいろ遠慮もしているし、行動も制限されているけど、帝国にいるのだったら誰にはばかることもない。実力のままに、なんだってやれるはずだ。五〇〇年も人民を支配して、やりたいほうだいやってきたゴールデンバウム王朝。それを打倒して国内を改革するのは、なにもローエングラム侯ひとりでなくてもいいだろう。

こういうことを考えるのは、ヤン提督の意に反する。それはわかっている。でも、お遊びで空想してみるだけならかまわないだろう。そう思ったけど、途中でぼくは空想もやめにした。なぜかって？　ヤン提督は、同盟軍の軍服はそれなりに似あう人だけど、帝国軍の軍服はまったく似あわない人だということが、空想の段階でよくわかったからだ。

七九七年二月七日

捕虜交換のため、第一陣がイゼルローン要塞に到着した。ぼくが冗談まじりの空想なんかしているあいだに、事態はどんどん進んでいるのだ。いや、ちがう。キャゼルヌ少将やグリーンヒル大尉が、つぎつぎと課題をかたづけているのだ。

一〇万人の捕虜の群――カーキ色の服を着せられた、疲労と期待にはさみうちされた男たちの群のなかで、ぼくは四〇歳ぐらいの、あまり顔色のよくない男と知りあった。気分が悪いとかで、医務室につれていくから待っているようにと言われたという。手錠をはめられたまま、ひとり、港の隅にすわりこんでいたのだ。よけいなことかと思ったが、ぼくは彼に水をもっていった。男はびっくりしたようだったが、礼を言って水を飲みほし、やわらいだ目で周囲を見まわした。

「なつかしいなあ、おれはこの要塞に一五年も勤務していたんだ。お前さんたち叛乱軍より、よっぽどこの要塞にはくわしいんだぜ」

男の用語を訂正する気にはなれなかった。「お邪魔させていただいてます」とあいさつしたくなったくらい、彼のことばは素朴だった。彼の視線は、横の壁にむけられていた。そこは照明や柱のかげんで死角になっていて、帝国軍の兵士たちが壁にナイフでさまざまな文字をきざんだ痕がある。

「やあ、あったあった」

と言って指さすさきを見ると、帝国公用語で短い文章が書いてある。声にだして、ぼくは読んでみた。

「くたばってしまえ、ホルト中尉、いずれ背中から撃たれておだぶつだ、大神オーディンはお前の罪をご存じだぞ……」

「へえ、ちゃんと読めるのか、帝国語が」

「いちおう学校で習いますから」

もともとそれほど差のある言葉でもない。

「そうか、そうか。おれの息子はお前さんより二つばかり年下だが、ちゃんと勉強しているかなあ」

返事できることではないので、ぼくは黙っていた。ぼくと反対側の宇宙にいるこの人にも、息子がいて、憎らしい上官がいて、帰るべき故郷がある。ただ生まれ育った場所がちがうだけなのだ。――これは、主戦論者の排する、〝敵との安っぽい感傷の交流〟にすぎないのだろうけど。

「できるなら軍人にしないでくださいね」

ついぼくはそう言ってしまった。この人の息子と戦いたくない、そう思ったからだけど、考えてみると、ずいぶん勝手なことを言ってしまったような気がする。

「うん、うちの息子とお前さんが戦場で殺しあったりするのは、いい気分じゃないな。おれも帰ったらもとの仕事にもどるつもりさ」

「もともとはどんな仕事をなさってたんですか」

「家具職人だよ。樫《かし》やら白樺《しらかば》やらで手づくりのテーブルとか椅子とかをつくっていたのさ」

「いい仕事ですね」

「ありがとうよ。息子もそう思っていてくれるといいんだが、大学に行きたがっていたしなあ。平民が出世するには大学か士官学校に行くしかないと言ってな……」

このとき、ようやく係官がやってきて、男をつれていった。男の表情より、係官のぼくを見る視線が険悪だったことのほうが、印象に残った。どうやら、ぼくは、司令官の被保護者であるのをいいことに秩序を乱す輩《やから》、と思われたようだった。そう思われてもしかたないけど、だからといって、今日のことを後悔しようとは思わないのだ。

七九七年二月八日

捕虜が到着したときでも、ポプラン少佐はきちんと訓練をやる。感心だなと思っていたら、コーネフ少佐が一言、

「捕虜は男ばかりだからね、訓練を休む価値はないと思っているのさ」

ぼくは恩師のためになにか反論しようと思ったけど、不可能だった。

訓練のあと、コーヒーを飲みながら、ポプラン少佐がいろいろと話してくれた。何年か前、

飛行隊内でひとりの士官がナイフで刺されて給料を奪われ、一組のカップルが容疑をかけられた。少佐はそのカップルを目撃したので、MPから彼らの容姿について訊ねられた。

ポプラン少佐の表現によると、

「女は二〇代なかば、髪は赤とブラウンの中間色、瞳はダークブラウン、顔は卵形、眉は髪の色より暗めで端が心もちあがっていて細い。鼻はまっすぐ、唇は上が薄くて下が豊か、左頬に片えくぼ、右の目尻にほくろ、耳たぶは薄い。身長は一六九センチ、スリーサイズは上から九一・五九・九〇、いずれも推定ながら確度高し。耳には青いピアス、たぶんサファイアではなくて翡翠《ひすい》。手は人差指より薬指が長いようだった」

という精密さ。いっぽう、男性のほうはというと、「ああ、そういえば顔があった」というたよりない印象で、特徴を問いつめられると、考えこんだあげく、

「顔の両側に耳があって、鼻の下に口があったな」

こんな不誠実な証人は初めてだ、と、MPは怒っていたそうだ。それはまあ、どんなに心の広いMPでも怒るだろう。それでも、女のほうを逮捕すれば男もそれに付随してくるだろう、ということで、女のモンタージュが手配されたという。

「けっきょくつかまらなかったんだけどね」

「そうでしょうとも!」

「そう言うなよ、ユリアン、MPにも黙っていた秘密を教えてやるからさ」

「なんです?」

「その男はな、なんと胴の下に脚が二本もついていたんだぜ」

「……もしかして、歩くとき両脚をかわるがわるうごかしていたんじゃありませんか?」

「よくわかったな」

「なんとなくそう思ったんです」

この会話を伝えると、ヤン提督はひとしきり笑ったあげく、

「結果としてポプランは、男のほうを追及から守ってやったことになるじゃないか」

と意見を述べた。言われてみればたしかにそうだ。まさか意図的——ってことはないだろうなあ。

七九七年二月九日

捕虜の第二陣が到着して、要塞内がまたまたごった返している最中に、ペットショップからのダイレクトメールがとどけられた。ぼくだって旅行の準備などでけっこういそがしいのだから、こんなものをとどけられても愉快ではない。この大きなペットショップは、軍の退役士官が経営しているコングロマリットの一部で、専用の飼育場の土地も軍から安く払いさげられたものだという。純然たる民間人の店のダイレクトメールだったら、こんなときにとどけられる

こともないかもしれない。そのあたりも不愉快だ、と思うのは、ヤン提督の影響かもしれない。

ヤン提督は、あるとき、べつのペットショップの経営者から、

「動物は嘘をつかないし裏切りませんよ」

と言われて、ぼくにむかってつぶやいた。

「じゃあ全然おもしろくないね」

それは、例の小鳥事件のあとのことだったし、ぼくもそれほどペットをほしいとも思わなかったから、ヤン家の構成員はそれ以前もそれ以後も二名きりで変化なしだ。

ヤン提督は、変転をきわめた歴史が好きだから、ペットショップの主人の勧誘に興味をもたないのは、わかるような気がする。ぼく自身は、なぜペットを飼わないのかと問われて、

「うちにはもう大きいのがいるもの」

と答えたことがあるが、冗談とはいっても、これはちょっと罰あたりな言いぐさだった。反省の必要ありだろう。

七九七年二月一〇日

グリーンヒル大尉に頼まれて、二〇種類ばかり料理のつくりかたを書いたメモをつくってあげた。大尉は喜んで、民間人経営のティールームでぼくにホットオレンジとラズベリーパイを

ごちそうしてくれた。

「こういうのを、手づくりでできるようにならなきゃだめなんでしょうね」

と、自分もパイをつつきながらグリーンヒル大尉がため息をつく。

「みんながみんな、手づくりでこんなものをつくれるようになったら、こういうお店はつぶれちゃいますよ」

「わたしでも小資本の存立に寄与しているってわけね」

と、グリーンヒル大尉は苦笑した。

ぼくは、大尉がヤン提督のことを、個人としてどう思っているのか、ちょっと訊ねたいような気もしたけど、いくらなんでも出すぎているように思えた。また、訊ねるまでもないとも思えたので、しばらく黙っていたけど、とうとう言ってしまった。

「あの、ぼく思うんですけど、料理のうまいへたなんて、絶対的な要素じゃないですよ。キャゼルヌ夫人を基準にしたら、ほとんどの主婦の人は落第点ですよ」

大尉は、すごくきれいなヘイゼルの瞳でぼくを見て、

「ありがとう、ユリアン」

と言ってくれた。

ヤン提督のところにもどると、提督はちらりとぼくに目をむけて、

「デートかい？」

とからかった。

「ええ、イゼルローン一の美人と！」

と答えたら、事情を知りたそうな表情をしたけど、当分は教えてあげないのだ。

七九七年二月一一日

帝国軍の捕虜たちのなかで、祖国へ帰りたくないと言っている人が、一〇〇〇人ばかりいるという。二〇〇万からの総数のなかで一〇〇〇人というのは、多いのだろうかすくないのだろうか。

「いやがる者を帰すわけにはいかんから、リストの一部をつくりなおすしかないだろうなあ。それにしても、そういう連中をわざわざイゼルローンまでつれてくることはないのに」

キャゼルヌ少将も、いささかうんざりしたようで、各地の捕虜収容所の不手際《ふてぎわ》をののしった。それでも事態の処理に手をぬかないのが、キャゼルヌ少将のりっぱなところだと思う。

なぜ祖国に帰りたくないのか。同盟の女性と恋愛し、残留して結婚する——という幸福な人は、いることはいるけど、ごく少数だ。帰っても借金と苦しい生活が待っているだけ、という人が多い。なかには、はっきりと言えないけど犯罪をおかしたので、帰国すれば刑務所行き、という人もどうやらけっこういるらしいのだ。

思想犯や政治犯ではない。そういう人は自分ですすんで亡命してくるか、帝国の刑務所からだしてもらえない。全員がほぼ刑事犯らしいという。もし兇悪な犯罪をおかした者がいれば、同盟でも無条件に自由な生活を認めるわけにはいかないだろう、ということだ。

亡命――ということで、先日、シェーシェーンコップ准将と話したことを思いだした。

「ンコップ准将のお祖父さんたちは、どうして帝国から亡命していらしたんですか」

「民主共和政治の開明性にあこがれたから、ではないのさ、あいにくとな」

シェーンコップ家は、本家がいちおう男爵家で、准将の祖父は分家して帝国騎士《ライヒスリッター》の称号をもらっていたそうだ。貴族階級の末端なので、ことさら特権をもっていたわけではなかったが、それでも優先的に軍務省の官吏にぐらいはなれた。准将の祖父は大過《たいか》なくつとめあげて、軍務省経理局の次長にまでのぼったが、円満退職まであと二、三年、というところでつまずいた。知人の連帯保証人になったため、自分がしたわけでもない借金をせおいこみ、退職金を前借りしても払いきれず、屋敷も手放し、それでも借金を払いきれなかった。このままとどまって投獄されれば、シェーンコップ男爵家の家名に傷がつく。そう考えた親族たちが、フェザーン経由の旅費だけをあたえて、老夫妻と孫とを逃がした――というより追いはらってしまったのだそうだ。

「それでおれは遠く異郷にあって、シェーンコップ家の名を高《たか》らしめるべく、日々、努力をおこたらないわけさ」

ぼくは、どう感想を述べていいのかわからなかった。

シェーンコップ准将のお祖父さんのような人も、投獄されれば犯罪者ということになってしまうのだろうか。

犯罪者といえば、ヤン提督に言わせると、犯罪者には三つのタイプがあるそうだ。第一に、法律を破るタイプ。第二に、法網をくぐるタイプ。第三に、自分の利益のために法律をつくるタイプ。

第三のタイプというと、帝国の大貴族たちはたいはんがそのタイプだが、同盟でさえ、五〇年ほど前に惑星資源開発新法というのができたときはひどかったそうだ。五〇年間に一兆ディナールの国費をつぎこみ、しかも資源開発に失敗すれば国庫にお金を返さなくてもいい、ということで、一〇人ほどの利権政治屋のふところに巨額のお金がはいったという。

「それでもまあ、憲法のない専制国家よりはましなのかな。憲法というのは、権力者が遵守《じゅんしゅ》するようさだめられた法律なんだ。ルドルフは、他人に法律を守るよう強制するいっぽうで、自分自身が法を守り法に束縛されるのを拒否したわけだ。ほんとうは彼は鋼鉄の巨人なんかではなくて、自分の欲望を抑制できないだけの人間だったと思うよ」

……ルドルフ大帝はともかくとして、ぼくが気になったのは、シェーンコップ准将が三〇年ちかく昔に離れた故郷に帰りたいと思ったことはないのだろうか、ということだ。だけど、むろん訊ねることはできなかった。

またヤン提督の言葉を引用するけど、

「おとなになるということは、訊ねていいことと悪いことの区別をつけるということだ」

ということになる。自分自身の言葉でそう言えないのが残念な気もするけど、誰の言葉も借りずそう言えるようになる日が、いつかくるのだろうか。

七九七年二月一二日

オリビエ・ポプラン少佐とイワン・コーネフ少佐は、飛行学校の同期で知りあったということだけど、初対面がどういう状況のもとでだったかは、よくわからない。

今日、コーネフ少佐にクロスワード・パズルの本を貸してもらったので、ついでに訊ねてみた。これは訊ねてはいけないことではないだろう、と思ったのだ。すると、コーネフ少佐はベレー帽の下からはみでた明るい色の髪をゆらして、なんとも表現しにくい、声をたてない笑いかたをした。

「おれが一時、家庭の事情でぐれてしまってね、素行不良で放校処分になろうとしたとき、クラスの風紀委員だったあいつが、おれをかばってくれたんだよ」

びっくりして黙っていると、コーネフ少佐はたまりかねたように、今度は声をだして笑った。

「……と、ポプランは言いふらしているけど、まっかな嘘だからね、だまされちゃいけないよ。

真実はまるでちがうんだから」

真実とやらは教えてくれなかったのでひきさがったけど、きっと悪魔のはからいだろう、本をかかえて家への通路を歩いていると、ポプラン少佐がスキップぎみに歩いてくるのにばったり出会った。

「なんだなんだ、前途ある青少年がクロスワード・パズルなんかやってるのか、悪い風潮がはやってるなあ」

この際だ、と思って、ポプラン少佐に、さきほどの質問をくりかえしてみた。

「いや、他人の恥になることだから黙っていたが、じつはあいつ、一時、家庭の事情でぐれてしまってな、素行不良で放校処分になる寸前、おれがかばってやったんだ。おれは風紀委員だったからな。おれはあいつばかりか、同盟の空戦隊にとっても恩人なんだぜ……」

ポプラン少佐のしかつめらしい表情もそこまでで、腹をかかえて笑いだしてしまった。

けっきょく、真実とやらはわからずじまいだ。むりに知りたいとは思わないけど、あのふたり、いったいどちらが役者が上なんだろう。

七九七年二月一三日

帰国を待つ捕虜たちのあいだでインフルエンザが流行しかかっているというので、軍医、看護婦、衛生兵といった人たちが、にわかにいそがしくなった。

「公平で、けっこうなことだ」

キャゼルヌ少将がうれしそうに言う。自分ばかりいそがしくてはたまらん、ということらしい。軍医の報告書に目をとおした少将は、半身不随の傷病兵のページをしばらく見ていたが、ぼくの姿を見つけて問いかけてきた。

「ユリアン、もしヤンの奴が年をくって、嫁さんの来手《きて》もなく、寝たきり老人になってしまったらどうする？」

「むろんぼくがお世話しますよ」

「感心、感心。しかしまあ、いまだってあいつは寝たきり青年みたいなものだからな、たいして変化もないだろうよ」

冗談に聞こえないのがこまる。指令室にもどったら、〝寝たきり青年司令官〟はデスクに脚を投げだし、ベレーを顔にのせて幸せそうに眠っていた。だからぼくはキャゼルヌ少将に反論できないのだ。

七九七年二月一四日

今日も三〇万人をこす捕虜の一団が、要塞に到着した。だけど、ヤン提督がうんざりした表情になっているのは、捕虜たちにたいしてではない。彼らに同行してきた同盟政府の委員たちにたいしてだ。

これらの委員たちは、送還されてくる同盟軍の捕虜たちを迎えにきた、ということになっているのだけど、イゼルローンを会員式のリゾートホテルだとでも考えているらしく、わりあてられた宿舎の設備が悪い、士官食堂の食事がまずい、と不平たらたら。ヤン提督が出迎えなかったといっては怒り、兵士が敬礼しなかったといっては怒る。しかもなにやら小山のように荷物を持参してくる。

「なんだい、これは」

「委員さん連中のもってきた土産《みやげ》さ」

万年筆とか靴下とかタオル、時計、そういった品物にはなんと委員個人や政治団体の名前が記入してある。〝二〇〇万人の有権者〟にたいして、さっそく選挙運動というわけだ。

「これは、あの連中が自分たちのポケットマネーで買ってきたのかな」

「まさか、国防委員会の経費だろう」

「だったら個人名を記入したりするのは、背任《はいにん》行為じゃないか」

大声はださないが、皆、不愉快そうに話していて、その声がぼくの耳にまではいってくる。ヤン提督はなにも言わないことにしているらしく、無言をとおしていたが、おそらく誰かから忠告されたのだろう。今日の昼、一〇人ほどの委員を主賓にして、いやいやながら歓迎パーティーを開いた。ぼくは出席せずにすんだけど、委員たちはなんやかやと聞くにたえないいやみを提督や幕僚たちに言ったらしい。

「見てろよ、あいつら」

憤然として会場から出てきたアッテンボロー提督が、部下を集めてなにか命じたのが二時ごろだった。

「これは同盟政府から皆さんがたへ、友愛の象《しるし》としてさしあげるものです。安物で申しわけないが、うけとっていただきたい」

アッテンボロー提督は、帝国軍の捕虜たちの代表にそう告げると、委員たちのもってきた帰還兵への土産物を、部下たちにはこばせて全部捕虜たちに分配してしまったのだ。

ことが公《おおやけ》になって、大さわぎになったのは四時ごろである。アッテンボロー提督は、いきりたつ委員諸氏にうそぶいてみせた。

「あんたたちは捕虜を迎えるという公務のために来たんだろうが。公務を利用して個人の選挙運動をやるのは、同盟公職選挙公法第四条違反だぞ。ここは軍用施設だから、司法警察権はMPにある。なんならMPにあんたたちの主張を聞いてもらおうか?」

委員諸氏は黙りこんだ。ヤン提督は、アッテンボロー提督が後日、圧力をうけることのないよう、捕虜たちの代表に頼んで、委員たちへの感謝状を提出してもらった。

これでもう、政治屋たちはなにも言えなくなった。いい気味だ。

「アッテンボローは、ちと、詰めが甘かったな。ああいう台詞は、営倉に放りこんだあとで言ってやればよかったんだ」

シェーンコップ准将につづいて、キャゼルヌ少将がため息をついた。

「しかし、帰ってきたわが軍の捕虜たちが泣くぜ。あんな奴らの権力を守るために、前線に送られて、矯正区で苦労してこなくてはならなかったんだからな」

「おれたちだって苦労してますよ」

と応じたアッテンボロー提督は、ぼくを見つけると手招きして、紙に包んだものを手わたした。

「ヤン提督にお渡ししてくれ。おれも腹がたって事後処理まで気がまわらなかった。助けてもらったお礼だよ」

ぼくは思うのだが、どうしてこういうときのお礼は酒に決まっているのだろう。ほかのものにしてくれればいいのに。

それにしても今日はいろいろなことがあった。

「帝国軍の捕虜たちのうち、工兵たちが、協力を申しでています。なんですか、住居ゾーンに修復すべき箇処が以前からあるそうで……」

そう報告があったのは夜にはいってからで、ヤン提督とアッテンボロー提督は、酒を飲みかわしていた。アッテンボロー提督が献上したウイスキーだ。

「信用していいものでしょうかね、彼らの善意を」

「信用していいさ、吾々にたいする善意を、ではなく、イゼルローン要塞にたいする愛着をね。ここはもともと彼らがつくったものなんだから」

一部の人が言うように、ヤン提督が策士だとしたら、こんな思考は出てこないと思う。

けっきょく、明日、捕虜たちに修復をてつだってもらうことになった。それを知らされた捕虜の代表は敬礼し、あらためて、品物のお礼と、故郷へ帰してくれる礼を述べたそうだ。

ああいう人たちと、敵味方に別れて殺しあわねばならないと思うと、胃のあたりに奇妙な感覚がこみあげてくる。それをぼくは、はっきりと表現することができない。ぼくが感じたものを、論理化し、思想化し、哲学にまで高めようとしているのがヤン提督なのではないだろうか、と、しばしば思う。

ヤン提督は言うのだ。

「戦争をしなくちゃならない理由は、安全な場所にいる連中が考えてくれるからね。危険な場所にいる人間が、戦争をすべきではない理由を考えてもいいじゃないか」

また、こうも言う。

「近代以降、戦争を精神的に指導してきた文化人や言論人が、最前線で戦死した例はない」

こういった提督の言葉を、いつかもいったように、できるだけ多くぼくは書きとめておくつもりだ。いつかヤン提督は歴史上の人物になって、伝記が書かれるだろう。そのとき、直接、提督の言葉を聞いた者の証言が必要になるかもしれないから。また、そうならなくても、ぼく自身がいつか、こういった言葉の支《ささ》えを必要にするかもしれないから。

第六章　捕虜交換式

七九七年二月一五日

五年ぶりの、規模からいったら五〇年ぶりの捕虜交換式がおこなわれるというので、イゼルローンは全宇宙の注目を集めている。全宇宙というのは大げさだけど、マスコミの報道や政府の対応を見ていると、そう思ってしまう。ヤン提督は、ローエングラム侯の捕虜にたいする通達が政治的にも完全だといったけど、それは今回の交換式そのものについても言えることらしい。

「イゼルローンに注目を集めておいて、フェザーン方面でなにかやらかすかもしれないなあ。あの金髪の美形は曲者だから」

アッテンボロー提督が言う。ヤン提督は、フェザーン方面の情報をほしがっているのだけど、ハイネセン経由で送られてくるそれらは、質も量も提督を満足させない。

最近、ヤン提督が関心をもったのは、今回の大きな捕虜交換ショーにさきだって、何百人かの捕虜や抑留者がフェザーン経由で帝国から帰還してきたことだそうだ。そういった人たちのリストが不完全なので、こちらのリストも一〇〇パーセントは信用できないという。

「リストがあわないというと、死者の名を借りて帝国のスパイがもぐりこんできているとか、そういうことですか」

「ありうることだね。実際、五年前の交換式では、そういうことがあったらしいから。あのときは、少人数だから発覚したんだが、今回もなにかしかけてきたら、ちょっとわからないだろうね」

ハイネセンの統合作戦本部では、〝ヤン・ウェンリーはイゼルローン方面での敵の攻撃にそなえてさえおればいいのだ。フェザーン方面の情勢などに関心をいだくのは、無益かつ不要であるのみならず、越権行為である〟という声があるらしい、と、グリーンヒル大尉が教えてくれた。それを聞いたとき、ヤン提督は、

「わかったよ、勝手にするがいい」

とつぶやいたそうで、これは相当に腹をたてている証拠だ。

ひとつには、ハイネセンへの一時帰還を拒否されてはこまるので、おとなしくしていなくてはならないらしい。ほんとうにたいへんだと思う。昨日のアッテンボロー提督の件のあとしまつでも、気苦労があっただろう。このうえぼくが、〝お酒は身体にどうとかこうとか〟と言うべきではないと思ってだまっていたら、夕食後にウイスキーを五杯も飲んだ。こまるなあ。

七九七年二月一六日

捕虜交換式のためにイゼルローンをおとずれる帝国軍の代表は、ローエングラム侯だと思っていた。ところがちがうのだそうだ。

「なんだ、ローエングラム侯が自分で来るんじゃないんですか」

「それは来れるものじゃないよ。ローエングラム侯がここまでやってくる留守に、帝都オーディンでは、門閥貴族たちの一部が暴発するだろう」

たしかにヤン提督の言うとおりにちがいない。

ローエングラム侯の代理としてイゼルローンへやって来るジークフリード・キルヒアイス上級大将は二一歳、ローエングラム侯の腹心だそうだ。ローエングラム侯が初陣のころから、その傍にあって、つねに彼を助けてきた有能で誠実な補佐役であるという。

そういう話を聞くと、だいそれたことだが、ぼくはヤン提督にたいしてそういう立場にたてる日がくるだろうか、と考えてしまう。

ポプラン少佐がいつか言ったように、ぼくにはヤン提督という師父が存在するけど、ヤン提督は誰にもたよらず、誰の模倣もせず、自分で自分の能力と識見と人格を育て、つくりあげたのだ。ヤン提督はなにかというと、ラインハルト・フォン・ローエングラムは比類を絶した天才だというけど、ヤン提督だって天才ではないかと思う。だから、ほかの人みたいに、ローエングラム侯の短所をあげつらうことをせず、すなおに相手を天才だと認めることができるのだと思うのだけど。

提督本人は、自分が天才だなんて思っていないのだ。たんなるもの好きさ、と言っている。思いおこしてみると、提督は、〝天才〟という表現をローエングラム侯以外の人物にたいして使ったことが、たしか一度もないはずだ。〝名人〟とか〝名手〟とかいう表現を使うことが多い。

とにかく、ローエングラム侯を肉眼で見ることができないのは残念だけど、その腹心がどういう人かということだけでも、この目で確認したいと思う。

七九七年二月一七日

べつに用もないのに、一日一度は港に行って出入りする船をながめるのが習慣になってしまったみたいだ。何日か前に帝国軍の、家具職人の出身という人に会ったけど、あの男の人はいまこの広い要塞のどこにいるだろう。一生のうちに二度とは会うことがないにちがいないけど、たぶん、ふだんは忘れていてもときどきは彼と彼の息子さんのことを思いだすだろう。

それにしても、捕虜交換式がいよいよ迫ってきたから当然だけど、このところ入港してくる船が断然多い。客船ではなく軍用輸送船から、一隻ごとに五〇〇〇人から一万人の捕虜が送りこまれてくる。辺境の捕虜収容所での生活と、長い船旅につかれはてているが、それでも祖国へ、おとがめなしで帰れる喜びが疲労をうわまわっているようにみえる。

「捕虜だけならいいんだが、くっついてくる汚物どもがなあ」

　にがにがしそうにキャゼルヌ少将が言う。

　少将のいう汚物には二種類ある。第一の種類は、軍人や家族の票を基盤にする〝国防族〟とかいう政治家たちだ。捕虜交換は同盟・帝国の軍部のあいだでおこなわれるから、政治家がでしゃばる必要はないのに、なんやかやと理由をつけてやってくる。二月一四日の日記にも書いたけど、もう一〇〇人以上。しかもその半数が軍人出身ときている。

　もう一種類の汚物はジャーナリストで、これを汚物と決めつけるのは民主主義の自己否定だと思うけど、正直なところ質の低いジャーナリストが多いような気がする。アッテンボロー提督に言わせると、「見えすいたショーを、政府の費用負担で遊びがてら取材にくるような輩に、ほんもののジャーナリストがいるかよ」だそうだ。この連中は、取材といえば一日に二度、司令部の事務局に押しかけて公式発表を要求するだけで、あとは士官クラブ《ガンルーム》で酒を飲み、つけを政府にまわす——そんなことばかりしている。

　彼らは士官用の宿舎の一部を占領し、なんやかやとサービスを要求する。専門の従卒をつけろ、とか、ベッドが固い、とか、帝国の大貴族にでもなったつもりだろうか。

今日など、ヤン提督と夕食をとっていたら、一〇人ばかり集団で押しかけて、食事の内容まで撮影しようとしたので、塩をまいて撃退した。なにか悪口を言いたてていたけど、知ったことか。そんなに他人の私生活をあばきたいなら、自分たちマスコミの経営者の私生活を公開すればいい。やれっこないだろう。提督はくすっと笑って、

「おみごと」

と言い、昔よくしたように、片手でぼくの髪をくしゃくしゃにしてくれた。最高のごほうびなのだ、これは。

七九七年二月一八日

ハイネセン滞在は、長ければ三週間ぐらいになるかもしれないので、ホテルではなくてシルヴァーブリッジ街の官舎に泊まることになった。ヤン家がひきはらってイゼルローンに移ってから、空家になっていたので、手つづきもスムーズにはこんだ。

「サービス会社に頼んで、掃除とか食品の調達とかやっておきますね。帰ってすぐその日から生活できるように」

「へえ、そんなことができるのか」

と、ヤン提督は感心している。できるんですよ、提督、と自慢したけど、じつはグリーンヒ

ル大尉に教わったのだ。大尉は副官としてハイネセンに同行するが、暇があったら亡くなった母の墓参をしたい、と言っている。きっときれいなお母さんだったのだろうな。

七九七年二月一九日

今日、帝国軍とのあいだに捕虜交換式がおこなわれた――ついにこの日が来たのだ。敵と味方をあわせて四〇〇万人の運命が今日きまる。というのは、じつのところ大げさだ。いまさら交渉が決裂しようもないのだから。

帝国軍の船団《コンボイ》は、とっくにイゼルローン回廊に進入して、その進行してくるようすは、一時間ごとに要塞司令部に報告されていた。万事、順調なようである。

同盟軍の捕虜を満載した帝国軍輸送船二四〇隻の船団《コンボイ》が、わずか一〇隻ほどの軍艦に護衛されて、要塞主砲〝雷神のハンマー《トウールハンマー》〟の射程内に姿をあらわしたのは、七時四〇分のことだ。ヤン提督はいつもより一時間早く起こされて、すこし眠たそうだけど、さすがに不平は鳴らさなかった。

九時四五分、戦艦バルバロッサが要塞内に入港してきた。アッテンボロー提督が額の汗をぬぐった。この瞬間まで、捕虜のかわりに爆薬をつんだ輸送船の大群が突入してくるのではないか、という不安があったという。

一〇時一〇分、バルバロッサのハッチがひらき、帝国軍の代表たちが生身の姿を見せたとき、興奮のささやきがわきおこった。

先頭に立った人は、黒地に銀をあしらった帝国軍の華麗な士官服が、びっくりするほどよく似あう。ぼくより三〇センチちかく高そうな、ずばぬけた長身。癖のある赤い髪の下に、ハンサムな、そしておだやかそうな若々しい顔がある。

それがジークフリード・キルヒアイス上級大将だった。

随員が三名、いずれも提督級の高級士官で、ベルゲングリューン、ジンツァー、ザウケンという名だと教わった。キルヒアイス上級大将ほどではないが、三人ともまだ若くて、三〇代に見える。ローエングラム侯の幕僚たちは、皆若いのだという話を思いだした。

両国の国歌でなく、両軍の軍楽曲がひびくなか、ヤン提督が赤毛のお客を出迎え、握手をかわすと無数のフラッシュがひらめいた。

ふたりは会場内を歩いて、中央のテーブルに歩みよった。そこに捕虜のリストと交換証明書が置かれていて、ふたりのサインを待っている。

証明書の文面というものは、ふつう長々と時間をかけて討議するものらしいけど、なにしろ〝一秒スピーチ〟のヤン提督だから、「簡単に！　簡単に」と念をおして、グリーンヒル大尉に文案をつくらせ、さらにそれを提督自身が省略したものだ。国防委員会からは文案が一ダースも送られてきたが、提督は目もとおさずダスト・シュートに直行させてしまった。

それぞれの前に置かれた二通の証明書に、ふたりはサインをし、公職の印章を押す、交換して、ふたたびサインをし、印章を押す。時間にして一分とはかからなかった。これで両軍四〇〇万の兵士が故郷に帰れることになったのだ。

提督となにか話していたキルヒアイス上級大将が退室するとき、青い目から放たれる視線が、ふとぼくの上にとまった。

「きみは幾歳《いくつ》ですか?」

感じのいい、やさしい声だった。

ぼくが目だったのは、この会場でキルヒアイス上級大将より年下なのがぼくひとりであったからだろう。ぼくはけんめいに平静な声をつくった。

「今年、一五になります、キルヒアイス閣下」

「そうですか、私が幼年学校を出て初陣したのも一五のときでした。がんばりなさい、と言える立場ではありませんが、元気でいてください」

微笑して、キルヒアイス上級大将は長身をひるがえし、ぼくの前から歩きさった。

ぼくはしばらく、ぼうっとしていた。敵軍で第二の偉大な提督に声をかけられたことが信じられなかった。ひざから下が、ゼリーでできた床を踏んでいるように、妙にたよりなかった。

「こら、帝国軍に寝返ったりするなよ、いくら感激したからといって」

アッテンボロー提督に肩をこづかれなかったら、ぼくはいつまでも、無人になりかけた会場に立っていたかもしれない。

キルヒアイス上級大将は、長居はしなかった。パーティー会場で乾杯したあと、すぐに帰還兵をしたがえて帝国領へと出発していった。

あとでヤン提督に訊ねてみると、署名と調印がすんだとき、キルヒアイス上級大将はこう言ったのだそうだ。

「形式というものは、必要かもしれないが、ばかばかしいことでもありますね、ヤン提督」

たいしたことを言ったわけでもないんだな、と思ったが、ひょっとしたらキルヒアイス上級大将は、この捕虜交換式じたいの正体を知ってそう表現したのかもしれない、とヤン提督はそう言った。

ところで、当然というべきかもしれないが、キルヒアイス上級大将の評判はいい。とくにご婦人がたに。

「好男子ね」

と、フレデリカ・グリーンヒル大尉でさえ言った。ポプラン少佐の表現は、ちょっと複雑骨折していた。

「ふん、まああれだな、ローエングラム侯にはおよばないな」

自分におよばない、とは言わないあたりが、ポプラン少佐としては遠慮したつもりかもしれない。

「そうだな、あと一〇年も人格に磨きをかけて、深みと成熟さを加えたら、おれの対抗馬になるかもしれん」

シェーンコップ准将のほうが、言うことがずうずうしいのは、年齢差のせいだろうか。

それにしても、皆、わが軍の代表者のことを忘れているのではないだろうか。ヤン提督は、それはキルヒアイス上級大将みたいに颯爽《さっそう》とはしていなかったけど、ごくしぜんで力まない動作と表情が、とても魅力的だったのに。ヨブ・トリューニヒトとは言わない、ヤン提督以外の人が代表だったら、もっと大げさに騒ぎたてるか、緊張して石みたいに固くなるか、おどおどするか、それを隠すために傲然とするか、だろう。ヤン提督は、たとえローエングラム侯と一対一でむかいあっても、悠然として自分のペースを守るだろう。そのことをぼくは知っている。ぼくにとってはヤン提督が一番なのだ、どんなときでも。だからアッテンボロー提督がぼくをこづいたとき言ったことは、ええと――〝杞憂《きゆう》〟というやつで、ありえないことなのだ。もっとも、ヤン提督自身が寝返るならべつだけど。

七九七年二月二〇日

交換式は終わり、それにつづくパーティーも終わった。イゼルローン要塞は日常性をとりもどした。

と書きたいところだけど、二〇〇万人の帰還兵はまだ残っている。彼らが船団《コンボイ》で無事に出立するまでは、イゼルローンの〝交換事務局〟の仕事は終わらないのだ。

ぼくものんびりしてはいられない。明後日にはハイネセン行きの船団が出発する。ヤン提督とぼく自身の旅行の準備をしなくてはならない。

今日、グリーンヒル大尉に質問された。

「で、提督ご自身の旅行の準備は、すすんでるのかしら」

「もうすみましたよ。ぼくに準備しておくようにって、おっしゃいましたから」

「…………」

ヤン提督の随員は、護衛役のカスパー・リンツ中佐と、グリーンヒル大尉と、それにぼくの三人だったはずだが、いつのまにかオリビエ・ポプラン少佐とイワン・コーネフ少佐が加わって五人になっていた。

当人たちにも意外だったらしく、今日になっても小首をかしげている。

「決めたのはムライ参謀長だろう。二度と帰ってくるなってことじゃないかな」

「それはいっこうにかまわんが、おれがいなくなったら、あとはシェーンコップ准将の天下じゃないか。唯一それが気にくわん」

ポプラン少佐が舌打ちすると、シェーンコップ准将がおもおもしく答えた。

「もともとお前さんがいたって、おれの天下は揺るぎやしないよ。せいぜい辺境でひと旗あげてくるんだな」

キャゼルヌ少将も舌打ちしているが、その内容はポプラン少佐より深刻だった。

「早いところ連中には出ていってもらいたいものだ。でないと、いつまでたっても、日常性が回復しない」

帝国軍の捕虜たちは遠慮してふるまっていたのに、肝腎《かんじん》の同盟軍の捕虜たちが、解放された喜びから、なにかとタガをはずして行動し、あちこちでトラブルをおこしているのだ。酒を飲んで要塞の兵士たちとけんかをする、婦人兵にからむ、通路で吐いたり立小便をしたりガラスを割ったり、その他、数えきれない。

MPの手におえないというので、シェーンコップ准将が〝薔薇の騎士《ローゼンリッター》〟連隊に命じて、目にあまる不とどき者たちを捕虜用の収容施設に放りこませている。

「薔薇の騎士も、堕《お》ちたもんだ。酔っぱらいの取りしまりに大わらわとはね」

そうせせら笑うポプラン少佐自身、今日の一日だけで二〇人以上の不埒《ふらち》者を殴りたおし、淑女たちの危機を救ったという。

グリーンヒル大尉が、笑いながら話してくれたところでは、少佐に助けられた婦人兵たちがそろって大尉のところへ陳情に押しかけたそうだ。

「ポプラン少佐に助けていただくのは感謝しますけど、〝おれの女に手をだすな〟という台詞はどうにかなりません？」

ポプラン少佐に言わせると、

「いつかおれの女になるかもしれない可能性のある人、なんて長くて言いづらいから、短縮しているだけさ」

なのだけど、もうひとりの撃墜王《エース》に言わせると、

「可能性と実現性はイコールじゃないからね」

なのだそうだ。

それにしても、こういった帰還兵の行状、軍人出身の政治家たちの言動、ハイネセンの統合作戦本部のやりかたなどを見ていると、ヤン提督やイゼルローン要塞司令部のありかたは、全体としてやはりめずらしいのだ、と思ってしまう。同盟軍は、自由の国の民主的な軍隊であるというし、帝国軍みたいに貴族と平民の対立ということもないけど、いろいろな矛盾や欠点が膿《うみ》をつくっているようだし。

ヤン提督にくっついてぼくも帝国軍に身を投じることを、空想したことがある。ふたりだけでなく、イゼルローン要塞のおもな幕僚たちが全員そうしたら、もしかしたら帝国軍全体をのっとることもできるかもしれない。でも、やはりネックは軍服だろうな。帝国軍の軍服が似あうとしたら、シェーンコップ准将くらいのものだから。

七九七年二月二一日

明日はイゼルローンを離れてハイネセンへ出発する。予定では三月一〇日までにはハイネセンに到着することになるけど、これはあくまでも予定だ。

コーネフ少佐はともかく、ポプラン少佐が一、二カ月はイゼルローンにいなくなるので、キャゼルヌ少将やムライ少将は上機嫌だという噂である。ついひやかしてやりたくなった。

「帰りの船団《コンボイ》のなかで、ポプラン少佐がなにか問題をおこすかもしれませんよ」

「かまうものか、イゼルローンさえ無事ならいいんだ」

とは、キャゼルヌ少将のせつない願望であるようだ。

二〇〇万の帰還兵をあずかる船団の指揮官は、サックス少将という人だ。輸送船団の指揮官としては長い経験をもつ人で、キャゼルヌ少将も彼とくんで補給計画を実施したことがあるという。

「無能な男じゃないが、あまり他人の意見をきかないのが欠点だな。それと肩肘《かたひじ》をはりすぎる」

キャゼルヌ少将はそう評していた。

夕方、提督とぼくはキャゼルヌ家に招かれて、ささやかな送別パーティーの主役になった。出発が延期になったりしたら、ちょっとてれくさいな。そうなりませんように。

七九七年二月二二日

今日、帰還兵の船団《コンボイ》とともにイゼルローンを離れた。最初にイゼルローンに来て以来、八〇日あまり。また一、二カ月でもどってはくるけど、ようやく住み慣れたところだし、好きな場所でもあるから、別れるのは心楽しいことではなかった。

キャゼルヌ一家、ムライ少将、シェーンコップ准将、アッテンボロー提督といった人たちの見送りをうけてタラップをのぼったのが九時三〇分。一〇時ちょうどに輸送船はうごきだし、一〇時一五分、もうぼくたちは虚空のなかにいた。

「しばらく、うるさ方の顔を見ずにすむのがせめてものなぐさめだぜ。おれが帰ってくるまで乾《ひ》あがらずにいてほしいもんだ」

スーツケースを左肩にかついでポプラン少佐が毒づき、あてがわれた船室へ歩きだすと、ヤン提督の、いささか不安そうな視線がそれを追いかけた。

ヤン提督は、乗船する前、サックス少将に、太い釘をうたれたのだそうだ。

「よろしいですか、閣下、船団を指揮運用する権限と責任は小官にありますから、それにかんするかぎり、閣下といえども小官の指示と規範にしたがっていただきます。部下の方にも、くれぐれも、船団のルールを守っていただきたく……」

一五も年上の相手に言われたので、ヤン提督はすなおにうなずいたのだけれど、あとになってぼくにぼやいてみせた。

「そんなこと、言われるまでもないのになあ。それほど私は、階級をかさに着て他人の邪魔をする人間に見えるのかな」

「お気になさること、ありませんよ。立場上、おっしゃったんでしょうから」

じつはぼくも、本心からそう思っているわけではないのだけど、そう言うしかない。

「うん、それにしてもポプランがよけいなトラブルをおこさないようにしてほしいなあ。あいつがなにかしでかすと、私の責任になるからな」

「大丈夫ですよ、コーネフ少佐が同室ですから。ポプラン少佐が火を噴いたら水をかけてくれますよ、きっと」

「しかしな、コーネフはポプランのことをなんやかやと言うけど、実際にあいつのやることを制止した例は、めったにないんだぜ」

どこまでもうたがわしそうだ。だったら同行させなければよさそうなものだけど、ヤン提督はあの人たちがもっているイゼルローンの〝匂い〟をほしがっているのではないか、と、ふと思ったことだった。

フレデリカ・グリーンヒル大尉は、ドールトン大尉という女性士官と同室になった。この人は船団航法士《CN》という重要な職務についている。褐色の肌をした、背の高いなかなかの美人で、「唇がもうすこし薄ければ完璧」というポプラン少佐の評だ。

そして、ヤン提督とぼくが同室。二段ベッドの下に提督が、上にぼくが寝る。船室の広さはメイン・ルームが五メートル四方ぐらい。バスルームとクローゼットがついている。天井がすこし低いのが難点だけど、小さいながら肉視窓もついているし、バスルームではちゃんとお湯も出る。だいたい、兵員用の輸送船に便乗しているのだから、そうそう贅沢は言えない。施設にいたころ、ぼくはこの広さの部屋に八人で押しこめられていた。

夕食は、さっそく船団司令官食堂で、ヤン提督はかたちだけは最上の席にすわらされたという。何人かの政治家が同席したそうだ。伝聞形式になってしまったのは、サックス少将が厳格な人で、一兵卒待遇のぼくは司令官食堂に入室できなかったからだ。で、つぎの会話はあとでヤン提督から教えてもらったわけである。

「……私は国防委員会の一員として、用兵に無関心ではいられないが、もしきみが艦隊をひきいて敵に包囲されたら、どう戦うのかね」

「私は包囲されたことは一度もありませんよ」

「だから、たとえばの話だ」

「包囲されそうになったら、さっさと逃げだしますからね、私は」

「ふむ、逃げるなどという言葉は、きみたちの世界ではタブーになっていると思ったがね。きみは平気でそういう言葉を使うのだな」

「私の知っている政治家は、落選という言葉をタブーにしていましたが、それでもこの前の選挙で落選したそうです」

自分は紳士的に対応した、と、ヤン提督は主張するけど、相手がそううけとったとは思えない。ぼくの夕食はなにかのピラフとなにかのシチューとなにかのサラダだったけど、ヤン提督の夕食は、〝エビのほかにはなんだかまるで見当もつかない〟料理だったそうだ。

それにしても、どうして皆、軍事について語るというと戦術を、それも奇術にちかい戦術を問題にするのか。ヤン提督はそれが不満そうだ。

ヤン提督は戦術を軽視しているわけでは、けっしてない。「有能な戦術家をえらんで必要な局面に投入するのは、戦略の完成点というべきだね」と言っている。だいたい、提督自身が、ずばぬけた戦術家なのだ。戦略的状況を無視して、戦術が成立するわけはないのに、それを理解する人はめったにいない。むろん、ぼくにえらそうなことを言う資格などありはしないけど、せめてこれからさき、すこしでも勉強してヤン提督のお役にたちたいと思う。

七九七年二月二三日

戦場へ出動するため戦艦に乗っているのとはちがう。たんなる乗客として輸送船に乗っているのだから、やることもないし、行動範囲だって制限される。ましてサックス少将は、ことさらに口やかましい。

ヤン提督はイゼルローンの宿舎から一〇冊ばかり本をもちこんだけど、そのうち半分以上は、ハイネセンから送られてきたものだ。これらの本は往復で八〇〇〇光年、人類の大部分より長い旅をすることになる。

昼食後、ヤン提督が本を一冊かかえてサロンへ出かけたので、ぼくは部屋の整理をすませてから、小走りに提督を追いかけた。あと二、三歩で追いつこうとしたときだ。

ひとりの帰還兵が、ヤン提督を見て奇妙な表情をした。階級章に目をとめて、さらにびっくりしたようだった。

大尉の階級章をつけたその男は、ぼくの肩をつかむようにして呼びとめた。声をひそめて、

「お前さんは、あの男の従卒か?」

ぼくはむっとした。当然だろう。

「あの男というのがヤン・ウェンリー大将閣下のことなら、そうです。お呼びしましょうか」

「いや、いいんだ。大将……ふうん、あのヤン・ウェンリー中尉がねえ、たいそうな出世だな」

その中年男は、パーカスト大尉と名のった。ヤン提督を中尉と呼んだことで、見当がついたけど、やはりこの人はヤン提督がかけだしの中尉だったころ、エル・ファシルで勤務していた士官だったのだ。ぼくが簡単に事情を説明すると、彼はわざとらしい大きなため息をついた。

「九年前は、ヤン・ウェンリーは中尉で、おれは大尉。いまじゃ奴さんは大将閣下で、おれは

矯正区帰りの、あいかわらず大尉。運命もこざかしいまねをするもんだな」

ぼくはますます不愉快になった。運だけですべてが左右されるような言いかたが気にくわなかったし、だいいちこの人は民間人や当時のヤン提督を置きざりにしてリンチ少将といっしょに逃げだしたのではないか。民間人を守るという軍人の基本的な義務をおろそかにして。ヤン提督はこの人の後始末をしてやったのだ。

「そうですね、運に差がなかったら、大尉どのはいまでは元帥になっておいででしょうね、当時の階級からいって」

なぐるならなぐれ、という気分で、ぼくは思いきり皮肉に言ってやった。大尉はまばたきし、やせた顔にほろにがい表情をうかべた。

「手きびしいな。だが、まあ、そう責めんでくれ。おれはちゃんとむくいをうけて、九年間、矯正区で苦労してきたんだからな。逃げだしたさきで酒池肉林をやってきたわけじゃない」

ぼくは後悔した。つまり、相手の立場や心境を察することのできない、まだぼくは子供だということだ。

生意気をわびたあと、ふと気づいて、ぼくはエル・ファシルから逃亡したリンチ少将の行方を訊ねてみた。

「リンチの奴か?」

とパーカスト大尉はにくにくしそうに呼びすてた。〝少将〟とも〝閣下〟とも呼ばなかった。

「何カ月か前までは、おなじ矯正区のなかにいたことはいたがな。いつか姿が見えなくなってしまった。どこへいったか、いまさらなんの関心もないね」

「今回の捕虜交換には、リンチ少将の名はなかったようですが……」

「さあな、なにしろ民間人を捨てて逃げだした責任者だ。帰ったところで政府からもマスコミからも袋だたきだろう。あらためて軍法会議か裁判かってことになりかねん。行方をくらましたほうが賢明だろうて」

「………」

「人間もああなっては終わりだな。エル・ファシルで醜態をさらすまでは、けっこう武勲もたてたし、人望もあった男だがな。あの一件で、過去の名誉も将来性も、すべて煙になって消えてしまった。人間、どこでつまずくか、いつ一生の評価がさだまるか、わかったもんじゃないな」

パーカスト大尉と別れたあと、ぼくは部屋へもどりかけたが、通路でグリーンヒル大尉に出会った。行動範囲が狭いから不思議でもなんでもない。グリーンヒル大尉とティールームに行って、ぼくはパーカスト大尉のことを話した。

「そう、あのときエル・ファシルから逃げだした人が、この船にいたの……?」

やはりなんとなくなつかしそうだ。グリーンヒル大尉にしてみれば、当時一四歳の少女で、ヤン・ウェンリーというかけだしの中尉に出会った場所なのだ。グリーンヒル大尉は、病気の母親の世話をしながら、ヤン提督に紙コップのコーヒーをもっていったりしたのだ。

「でも、あのとき、おとなたちのとりみだしようといったらなかったわよ。一部の軍人ばかりが無事に逃げだして、民間人は、落ちこぼれの新任士官といっしょに置きざりにされた、というので、やけ酒は飲むし、ヒステリーをおこして泣きわめくし、乱闘はおこすし……おとなで平静だったのは、ヤン提督ぐらいのものだったわね」

平静というより鈍感だったのではないか、と、ちらと思ったけど口にはださなかった。

「それにしても、落ちこぼれの新任士官という印象は、いまも全然変わらないんじゃないですか」

「そうね、あんまり変わらないわねえ」

苦笑まじりにグリーンヒル大尉がうなずくくらいだから、九年ぶりに会った人が、ヤン提督の階級章を見て仰天するのもむりはない。ちなみに〝落ちこぼれ〟の大将閣下は、なんとかいう議員のスイートルームでの晩餐をことわって、ぼくといっしょに一般食堂で今日の夕食をとった。

七九七年二月二四日

平穏無事な一日。

出港して三日めで早くも書くことがなくなったのだろうか。これはこまる。なにか適当におこってくれないかな。

七九七年二月二五日

イゼルローンを発して四日め。平和な航宙《セーリング》がつづいている。平和でなければこまるのだけど、退屈でたまらない人もいるわけで、とくに名を秘するある人物は、憤然として言う。

「まるで拷問だ。どうしてなにもおこらないんだ。こういうとき立体TV《ソリビジョン》ドラマなら美人の宇宙海賊が出てくるのに！」

きのう日記に書いたことを思いだして、すこし心配になる。去年、ハイネセンからイゼルローンへむかう航宙では、平穏でも退屈しなかったのに。今回やたらと行動が制限されているのも一因だろうけど、この人の影響を、ぼくはいつのまにかうけているのかもしれない。

ヤン提督は部屋にこもって本を読んで幸福かというと、かならずしもそうではないらしい。政治家たちやサックス少将から、晩餐の欠席をとがめられているのだ。出世すればしたで苦労はあるのだ。

七九七年二月二六日

予定よりかなり船団の行程が遅れているという。最短だとハイネセンに三月七、八日には到着するはずなのに、三月の一二、三日になりそうだ、というのだ。航法士のドールトン大尉がグリーンヒル大尉に教えてくれたのだという。それでヤン提督がサックス少将に訊ねてみたら、多少の遅れは予定のうちですと、そっけなくあしらわれたそうだ。

「一分一秒をあらそうわけでもないでしょう」

とコーネフ少佐がクロスワード・パズルをときながら何気なく言うと、ヤン提督はめったにないことだが眉根を寄せて、

「半分《はんぶん》半秒をあらそうことになるかもしれないよ」

と答えたそうだ。

「どうも、吾々《われわれ》が思っているより重大な意味が、このハイネセン行にはあるのかもしれないぞ」

コーネフ少佐が言うのを聞いて、ポプラン少佐がすごく人の悪い笑いかたをした。

「なあに、三〇歳になってしまう前に着きたいと思っているだけさ」

これは悪い冗談にすぎないけど、ハイネセンがちかくなると同時にヤン提督の二〇代最後の日々もどんどん残りすくなくなっていく。誕生日のパーティーなんか計画したら、かえって怒られるかなあ。それにしても、ヤン提督がかかえている焦《あせ》りとはなんだろう。ぼくには見当も

つかない。

七九七年二月二七日

ぼくたちの乗っている船の一画で、乱闘事件がおこった。一〇〇人以上がその乱闘に参加して、三〇人以上が負傷し、医務室につれていかれたそうだ。たまたま昼寝していて、参加どころか見物もしそこねたポプラン少佐のくやしがりようといったらなかった。

「あいつら、おれに含むところがあるにちがいない。よりによって、おれが寝ているときにお祭りをやるとは」

コーネフ少佐が応じていわく、

「お前さんに含むところのない人間というのは、まだ会ったこともない人だけだよ」

乱闘の原因は、矯正区での生活だそうだ。物資がとぼしく、自然環境がきびしく、帝国軍の監視の目は境界線の内外にしかとどかない。そんな矯正区では、捕虜たちが集まれば、派閥ができるし、ボスもできる。士官と下士官と兵士が、それぞれグループをつくって、にらみあう。兵士をいじめていた下士官が私刑《リンチ》にあったり、食糧をめぐって殺人がおこることもめずらしくはない。

矯正区内で捕虜どうしなにがおこっても、帝国軍は関知しないのだそうだ。彼らにしてみれば、やっかい者どうしがあらそって自滅してくれたほうがありがたいのだから。そして、捕虜生活から解放されたといっても、帰国の船上で顔をあわせれば、数年にわたる反感や憎悪がよみがえってくる。

「そうか、するとこれから将来《さき》も、古い怨念がもとで乱闘やら殺人やらがおこる可能性は大いにあるわけだな」

せいぜい深刻ぶろうとするけど、つい頬がほころびてしまうポプラン少佐だった。コーネフ少佐の台詞ではないけど、ポプラン少佐は、船団司令サックス少将に要注意人物としてにらまれていることなど知らないだろうな。ぼくもつい最近、知ったのだけど。

よくしたもので、ポプラン少佐のほうも、サックス少将を嫌っている。これはもう、反感というより本能的なものではないだろうか。まあ軍隊の秩序、という点では、おおかたの人がサックス少将の味方をすると思うけど。

乱闘のことを聞いたヤン提督は、「ふうん」と熱のない返事をしたきり、デスクにむかって本を読んでいるが、どうもあまり身がはいっていないようにみえる。きっとなにか、他人の想像もつかないことを考えているのだろうけど——たんにぼんやりしているだけかもしれない。

「ヤン提督は非常の人だからね」

と、コーネフ少佐は評する。非常の人というのは、なにごともない平和な時代にはたいして役にたたないが、それこそ非常時には、誰にもまねのできない活躍をする人だそうだ。とすると、まるでヤン提督のためにあるような表現である。エル・ファシルで奇蹟の脱出行をはたすまで、〝ごくつぶしのヤン〟などと酷評されたこともあると、先日、パーカスト大尉が教えてくれた。

もし、ヤン提督が中尉のころ、なにかとめはしがきいてリンチ少将に目をかけられていたら、エル・ファシルに置きざりにされたりせず、いっしょに逃げだして帝国軍につかまり、矯正区で九年間もすごさなくてはならなかったろう。生きて還れれば、まだいい。死ぬか行方不明になっていたかもしれないのだ。ほんとうに、落ちこぼれでよかったのだ。

提督の運命は、ぼく自身の運命にもかかわってくる。ヤン提督がいなければ、トラバース法によって、ぼくはほかの軍人の家庭に送りこまれていただろう。サックス少将が悪い人だとは思わない、ヤン提督やポプラン少佐との相性がよくないだけだと思うけど、サックス少将の家へ送られていっしょに暮らすとなると、考えただけで気がおもくなる。けっして一方的にポプラン少佐の肩をもつつもりはないけど、ぼくはたぶんもう〝イゼルローンの一族〟になってしまっているのだろう。

「提督、元気で長生きしてくださいね」

ヤン提督にお茶をもっていったとき、あまり脈略もなくそんなことを言ってしまった。船旅でろくなお茶もないと思ったので、アルーシャ葉のティーバッグを二ダース用意してきたが、使いはたす前にハイネセンに着けるだろうか。

提督は妙な表情《かお》をしたが、せきばらいすると、舞台俳優めかして言った。

「老醜をさらして三〇まで生きるかどうか、それが問題だて、お若いの」

この態度は余裕というべきだろうか。さしあたり、ぼくがあまり心配することもないみたい。

七九七年二月二八日

政治家とか高級軍人とかいう種族は、ずいぶん勝手だと思う。ヤン提督のことを、軍人らしい威厳がないとか、愛国心にとぼしいとか悪口を言っているくせに、その名声を利用しようとして、用もないのに会いにくる。なかにはカメラマンをつれてきて、いっしょの写真をとろうとする人もいる。

おなじ船のなかなので、逃げ場がなくて、ヤン提督はうんざりしていたらしいが、今日はとうとうベッドのなかに逃げこんで、〝過労による発熱〟と称し、いっさい面会をことわってしまった。それでも会いたいと言う某議員を、ぼくはドアの前でさえぎったが、彼はこんなことを言いだした。

「ところで、今度ヤン提督が任地からハイネセンへもどるのは、公務かね、私用かね？」

「公務です。帰還兵の歓迎式典に出席なさるためです」

「ほう、そのためにわざわざハイネセンへね、それで往復のあいだに、もし帝国軍がイゼルローン要塞へ攻撃をかけてきたら、責任問題がたいへんだろうね」

必要以上の大声は、ドアこしにヤン提督に聞かせるつもりだろう。

「敵襲なんてありませんよ」

「ほほう、なぜそう断言できるのかね」

「ヤン提督が、そうおっしゃったからです」

文句あるか、と、思いきりにらみつけてやった。生意気な孺子《こぞう》め、と、議員は言いたかったにちがいない。

「きみの忠誠心はたいしたものだがね、攻めてくるのは帝国軍だし、ヤン提督の主観を尊重する義務は、帝国軍にはないからねえ」

会えなかった腹いせだろう、さんざんいやみを言ってからひきさがった。彼の背中にむけて、ぼくは思いきり宙を蹴とばしてやった。ポプラン少佐の半分も行動力があったら、走っていってほんとうに蹴とばしただろう。

同盟軍はえたいの知れない異星人を相手に戦っているわけではないのだ。人間どうしの戦いなのである。理性と計算によって、かなりの確度で相手の行動と目的を予測することができるはずだ——と、ヤン提督は言う。

とくに、ラインハルト・フォン・ローエングラム侯爵が帝国の軍事独裁権を手にいれかけている。帝国軍の行動が明確な戦略的目標を達成するための必然性を高めることは、まちがいない。理由もなく、いきなり攻めてくることはありえないのだ。

「ローエングラム侯が今後イゼルローン方面で大兵力をうごかすとすれば、帝国内での支配権を確立してからだ。一度くらいは戦術的に攻略をはかるかもしれないが、それに固執することはないだろうね」

そうヤン提督はぼくに説明してくれた。戦略的な思考とは、そういうものなのか。ぼくにはとうてい一〇〇パーセントは理解はできなかったけど、いつか理解できるようになりたいと心から思う。いつか、きっと。

部屋にはいると、ヤン提督がベッドに起きあがって、

「ユリアン、大謝」

と言いながら、ちょっとてれくさそうに敬礼してくれた。

「だめですよ、病人は寝てなくちゃ」

ぼくはわざとそう言ったが、ほんとうはとても嬉しかったのだ。議員がぼくに〝忠誠心〟がどうとか言ったのはいやみだとわかっている。だけど、いまのぼくに才能や力量でヤン提督をささえることはできない。できるのは、こんなふうに、もののわからない人にヤン提督の邪魔をさせないことだけだ。さきは長いにちがいないけど、すこしずつでも、ヤン提督のお役にたてる範囲を広げていきたいな、と思う。

第七章　ドールトン事件

七九七年三月一日

ときどき思うのだが、将来、ぼくが老人になって、この日記を読みかえしたとき、どんな感想をいだくだろうか。むろん、老人になるまで生きていたとしての話だ。

ヤン提督に教わったところでは、まだ西暦《AD》が支配していた時代に、日記というものを定義した人がいるそうで、それによると、

「日記とは、死後に公表されることをねらって、他人の悪口を書きつらねておく文章」

なのだそうだ。昔にも、誰かによく似た性格の人がいたらしい。ぼくは、それほど他人の悪口を書いたつもりはないけど、今後はどうなるかわからない。考えてみると、いまだって、ヨブ・トリューニヒトとか、政治家の悪口はずいぶんと書いている。でもそれは、民主政治を否定しているからではなくて、民主政治を愚弄《ぐろう》したり悪用したりする連中がいやだからだ。その点は、ぼくはヤン提督のお弟子である資格をもっていると思う。

七九七年三月二日

イゼルローン要塞にいれば、なにかやることがあるにちがいない。ヤン提督のためにお茶をいれることだって、りっぱな仕事だと思う。その合間には、シェーンコップ准将に射撃や白兵戦技を教わったり、ポプラン少佐にスパルタニアンの空戦技を習ったりする。むろん戦略や戦術の勉強だってある。

空戦技についていうと、教師はいまもちゃんといるのだけど、教材がないのだ。シミュレーション・マシンもない。ついでにいうと、教師にもやる気がない。

「なにもしないで給料がもらえるんだから、いい商売だぜ」

などとうそぶきながら、退屈そうに船内を歩きまわっている。ヤン提督は歴史の本を読みつつなにか考えているし、コーネフ少佐は三次元クロスワード・パズルに熱中しているし、リンツ中佐は船内の狭いトレーニング室で黙々と運動しているし、グリーンヒル大尉はこの際とばかり事務上の処理をやっている。となると、必然的にこうなってしまう。

「おーい、ユリアン、遊ぼ！」

なにしろイゼルローンとちがって婦人兵士なんかあまりいないから、ポプラン少佐としては、暇をもてあますわけだ。

ヤン提督は、このごろ、ややポプラン少佐に同情的であるようにも思える。

「国家のシステムにくみこまれているかぎり、いくら無頼や反体制を気どっても、しょせん予定調和だからね」

ヤン提督が、どこかしみじみと言う。実感としては、ぼくにはわからないけど、なるほど、やりたいほうだいやっているようにみえるポプラン少佐にも一抹の寂寥が……と思ったら、通路でポプラン少佐がライトビアーの缶を片手に、ごく少数の婦人兵と談笑しているのを見かけた。なかなかどうして、多少のことでめげる人ではない。

七九七年三月三日

ポプラン少佐にとって、今日はあるていど満足すべき日だったと思う。先月二七日の乱闘が、今日再現されて、今度はちゃんとポプラン少佐は現場にいあわせたからだ。

むろんポプラン少佐は、ジャーナリストでもカメラマンでもないから、傍観者を決めこんでなんかいなかった。

「それどころか、煽動者と言ったほうがよかったね」

と、これは目撃者兼証言者イワン・コーネフ氏。コーネフ少佐は、ポプラン少佐が危険になったら手をだそうと思って見ていたそうだけど、まるで危険にならなかったので、とうとう最後まで見物にまわってしまったそうだ。

船団司令部所属のＭＰが総出動して、乱闘に参加した人たちを、かたっぱしから営倉に放りこみはじめたころ、ポプラン少佐はいつのまにか乱闘の渦から脱出して士官クラブ《ガンルーム》でライトビアーを飲んでいたそうである。強いうえに要領がいいのだから、けんかする相手はたまらないだろう。

ＭＰが、自分の部下を捜査中と聞いて、ヤン提督がつぶやくのを、ぼくは聞いた。

「まあ、しかし、非人道的な犯罪をおかしたわけでもないし、温和で平和主義のポプランなんて妙なものだから、いいんじゃないのかな……」

七九七年三月四日

ポプラン少佐は、乗室のあるフロアから出ることを禁止されてしまった。サックス少将としては、営倉に放りこみたいところだが、ヤン提督をはばかって、このていどですませたのだろう、と、コーネフ少佐は言う。

「しばらく、おとなしくしてるさ。ヤン提督の威を借りると思われるのも癪《しゃく》だしな」

殊勝なことをポプラン少佐が言うので、気の毒になった。

「一〇日早く気がついてりゃよかったのに」

と、リンツ中佐は皮肉るけど、そうもいかないと思う。とにかく、一時的にエネルギーを放出したので、ポプラン少佐は今日は静かに、クロスワード・パズルをといているコーネフ少佐のとなりで、ミステリーVTRなんか見ている。いつまでつづくかな。

七九七年三月五日

カスパー・リンツ中佐が絵を描くということは聞いていたけど、今日はじめて作品を見せてもらった。まあ、絵というよりデフォルメした人物画のスケッチなのだけど、この船内で出会った人たちの姿がつぎつぎとあらわれて楽しかった。笑ってしまったのは、サックス少将が、他人の意見にたいして両耳をふさぎ、目を閉じ、歯をかみしめている姿である。とにかく、ひと目でわかるのがすごい。

イゼルローン組のスケッチは見せてもらえなかった。いずれ個展を開きたいそうで、そのときが楽しみだ。で、いまぼくの手もとには、年月日と場所を空欄にした〝カスパー・リンツ画伯第一回個展入場券ナンバー1〟という、画伯お手製のカードがある。

ヤン提督がそれを見つけて、裏を見たり照明にすかしたりしている。お茶をもっていったついでに言ってみた。

「ヤン・ウェンリー教授の第一回講演会入場券ナンバー1がほしいんですけど」

返答はこうだった。

「予約はとらないことにしているんだ。そのときになったらならびなさい」

七九七年三月六日

サックス少将にとっての吉日。つまりなにもおこらなかった。ただ、予定はさらに遅れそうだという噂を聞く。ポプラン少佐の気持ちがすこしわかるような気がしてくる。

七九七年三月七日

イゼルローンを出立するときの予定では、明日あたりもうハイネセンに到着していなくてはならないはずだ。でも、現実には、また予定がのびて、到着は一五日ごろになるかもしれないという。なにごともなくてこうも遅れるなら、なにかおこったらどうなるんだろう。

「あー、こまったな、こまったな」

と真剣な口調でつぶやきながら、ヤン提督はお茶を飲んだり昼寝をしたりしている。提督の名誉のために書いておくけど、提督はけっしてふざけているわけではない。ほかにどうしようもないからだ。サックス少将を呼びつけてどなったところで、なんにもなりはしない。

またサックス少将が、せこいことに、ヤン提督と顔をあわせるのをさけて、船内の船団指令室にこもっている。出てくると、同乗の議員たちといっしょなのだ。意図は見えすいているのだけど、ヤン提督は政治家にちかづくのがいやだから、みすみすその策《て》にのってしまっている。ぼくもこまっている。イゼルローンからもってきたアルーシャ葉のティーバッグが、あと六袋しか残っていないのだ。二ダースといわず、その倍くらいもってくればよかった。ヤン提督が、船団のまずいお茶を飲むはずがないし、だとすると、いよいよ昼寝しかすることがなくなってしまう。問題である。

と思っていたら、グリーンヒル大尉が、シロン葉のティーバッグ一ダースを提供してくれた。

「むだになると思ってたけど、役にたててよかったわ」

大尉は最初からそのつもりで用意してくれていたのだと思う。ヤン提督が、シロン葉のお茶をひと口すすって小首をかしげたので、

「フレデリカさんからの差し入れです」

と言ったら、なんだかあいまいな表情で、湯気をあごにあてていた。

今日はいろいろと書くことがある。

「どうもこの船団にはおかしなところがある。航法士官はきちんとやっているのかな」

コーネフ少佐が首をかしげながら、夕食のときにそう言った。

船団の位置や航路にかんするデータは、航法士官が集中管理しているのだから、もしそのデ

ータがまちがったものだとしたら、船団はどんどんまちがった方向へ行ってしまうことになる。

「でも、あまり航路を逸脱するようだったら、どこかの航路管制センターが気づいて警告するんじゃありませんか？」

「うん、だけど船団のほうから、あらかじめ、予定航路変更の事前報告がはいっていたら、いちいち警告はしないんじゃないかな」

たとえば、船団司令部に帝国軍のスパイが潜入していて、わざとまちがった航法データをコンピューターに入れつづけたら、そして、航路管制センターのほうへ予定変更の情報を送りこんでいたら——船団ごとまるまる誘拐できるのではないか。まあ、長期間はむりだとしても、一週間か一〇日ぐらいは。

「話としてはおもしろいが、事実だったらちょっとたまらんなあ」

リンツ中佐が言ったが、じつはよく似た事実が過去にあるのだ。七〇年前、帝国軍の猛将バルドゥング提督に苦しめられた同盟軍が、一計を案じて、彼を誘拐した。そのころ統合作戦本部の情報参謀だったマカドゥー大佐という人が、二年がかりで計画をたて、バルドゥング提督の旗艦の航法士官を買収したのだ。前線視察に出たバルドゥング提督は、いつのまにか同盟軍の勢力宙域にはいりこんでしまい、どうすることもできず、つかまってしまった。

八年後、捕虜交換式の直前に収容所内で亡くなったが、事故か自殺か、はっきりしない。

いままでは回廊にイゼルローン要塞があるから、いつのまにか帝国領にはいりこんでいるはずもないけど、考えてみればこわい話だ。航法計算でしか自分の位置がわからないのだから。そしてその計算が、もしちがっていたとしたら……。

七九七年三月八日

ハイネセンに到着する予定の日である。現実は、というと、ぼくたちは二〇〇万人の帰還兵といっしょに、虚空のただなかで、うろうろしている！

航路算定のデータになにか異常があったらしいのだ。昨日の笑い話が、半分事実になってしまった。くわしいことは、なかなかわからない。船団司令部が秘密主義で、ヤン提督にすら事情を隠しているからだ。

本来なら、ヤン提督はサックス少将より階級も上だし、頭ごなしに命令できるはずだけど、そういうことはヤン提督は嫌いなので、少将のほうから説明に来るのを待っていた。今日になって、さすがにサックス少将も知らぬ顔ができなくなったらしい。提督の部屋を副官とともにおとずれて、事情を説明した。ヤン提督と同席したのはグリーンヒル大尉だけで、ぼくは外に出ているように言われたのは、残念だけど、しかたがない。グリーンヒル大尉が教えてくれたところでは、

「事情説明というより、弁解ばかりだったわね」

だそうだ。それでも、議員さんとかが同行していないだけ、進歩したということになるのだろうか。

「ヤン提督はなんと？」

「できるだけ努力してくれって」

「全然期待してませんね」

「どうやらそうらしいわ」

このときポプラン少佐が口をはさんできた。リンツ中佐といっしょにミステリーＶＴＲを見ていたのだけど、少佐はその作品を見るのが二度めなので、犯人が登場したところでそれを指摘してしまい、リンツ中佐が腹をたてて、ひともめあったらしい。どうも、わざとやったのかもしれない。そろそろ噴火のエネルギーがたまるころだから。それはさておいて、少佐が提案したのは、つぎのようなことだ。

「いっそシャトルをハイジャックして、おれたちだけさっさとハイネセンへ行かないか。このままだとかったるくていけないぜ」

おもしろそうだ、と、ぼくは思ったけど、ほかの誰も賛成しなかった。コーネフ少佐が言うには、

「ポプランのシャトル操縦に命運をゆだねる、というところまで、皆まだやけっぱちになっていないよ」

ということらしい。

七九七年三月九日

船団内になにやら不穏な空気がひろがっている。

帰還兵も、船団の搭乗員《クルー》も、同乗している政治家たちも、それぞれグループをつくってなにか相談しているようだ。ハイネセン到着が遅れて、皆、不安なのだ。仲間どうしで話しあったところで、どうしようもないはずだけど、不満や不安を自分ひとりの胸にしまってはおけないのだろう。

とくに帰還兵たちにとっては、何年ぶりかで故郷に帰る旅なのに、予定より遅れて、しかも説明不足のまま放っておかれたのでは、おもしろいはずがない。サックス少将の官僚的秘密主義も、ほどほどにしてほしいと思う。

イゼルローンにいたとき、こういう、胃にもたれるような不愉快な気分になったことは一度もない。組織というものは人間による、といわれる意味が、すこしだけわかったような気がする。イゼルローンがいつまでもイゼルローンでありつづけますように。

七九七年三月一〇日

知らないということはおそろしい。昨日、あやうくぼくは死にかけたのだ。いや、ぼくだけでなく、ヤン提督も、二〇〇万人の帰還兵も、船団《コンボイ》の全員が死んでしまうところだった。

ぼくたちは、いまさら言うまでもないけど、パルス・ワープ航法でハイネセンへむかっている。ところが、航法コンピューターのデータをぬきうち再検査したところ、このままの針路をたもつと、昨日の夕食時には、惑星のない恒星マズダクに突入することになっていたという。大あわてで航法コンピューターの回路を切って、船団はどうにかマズダクから六〇〇〇万キロの宙域にとどまったのだという。たった二〇〇光秒である。

助かりはしたものの、ぼくたちはハイネセンから一三〇〇光年も離れた方角へ来てしまっていたのだ。航路を算定しなおして、ハイネセンへ到着するのに、最低でも一週間はかかるという。陰謀だか犯罪だか事故だか、いまの段階ではわからないけど、とにかく、たいへんなことだ。

「サックスの野郎、心臓の内部まで青くなっているにちがいないぜ。予定が守れなきゃ、奴はたんなる役たたずだからな」

ポプラン少佐は、目に見えない悪魔の尻尾をふりながら上機嫌だ。

「どうせなら陰謀か犯罪であってほしい、と、サックス少将は思っているだろうね。事故やミスなら少将の責任になるが、陰謀や犯罪なら他人のせいにできるからな」

ヤン提督の言いかたも、かなり辛辣だった。ハイネセン到着が遅れて、提督も失望しているのが、よくわかった。やはり、コーネフ少佐が言ったように、このハイネセン行には、ぼくたちが思っている以上の重大な意義があるにちがいない。ポプラン少佐が、緑色の瞳を光らせて、

「で、提督のお考えは?」

「断定するのはむずかしいが、願望からいうなら、ミスであってほしいね」

「おやおや、サックス少将と逆のお考えで」

「航海の平穏を願うのは、サックス少将とおなじだと思うよ。ただ、ミスならこれっきりだろうが、陰謀や犯罪だったら、今後もう一幕ぐらいはあるだろうね」

ヤン提督がそう言ったとき、グリーンヒル大尉はわずかに眉をひそめて、頰にかるく手をあてた。リンツ中佐は片手の指で耳の裏をかいた。コーネフ少佐はクロスワード・パズルの本をそっと閉じた。ポプラン少佐は片手で顔をなでまわしたが、口が笑うかたちをしているのを、ぼくは見てしまった。

人それぞれの反応だけど、ポプラン少佐という人を知らなかったら、彼が事件の犯人かと思うかもしれない。でも、少佐が犯人だとしたら、二〇〇万人をまとめて一度に大量殺害するようなまねはしないだろう。すくなくとも、グリーンヒル大尉とか、ドールトン大尉とか、きれいな女性は助けてあげるにちがいないもの。

七九七年三月一一日

船団司令部では、ちょっとヒステリックな混乱がつづいているらしい。とにかく恒星マズダクから離れ、本来の目的地ハイネセンへむかってはいるのだけど、航路の算定もしなおさねばならず、船団の編成もきちんとやりなおさなくてはならない。帰還兵たちの不信と不満はつのるいっぽうだし、しだいに死火山が活火山になっていくようだ。むろん、ごく少数だけど、大トラブルの発生を予測してうれしそうな人たちもいるけど。

七九七年三月一二日

船団編成不完全ノタメ、輸送船ノ一隻ガ行方不明トナル。六時間後、発見、合流ヲハタス。大事故トナラズ慶賀ノ至リナリ。

——ああ、文語文ってむずかしいな。

七九七年三月一四日

昨日、日記を書かなかったのは、それどころではなかったからだ。一日がかりの事件がようやく一段落して、いま（一四日二二時）みんな、疲れきってはいるけど、ほっと息をついている。〝イゼルローン組〟の六人は、士官クラブ《ガンルーム》のひとつを占領して、ソファーに脚を投げだしているが、とがめる者はいない。なんといっても、事件を解決したのは、嫌われ者のイゼルローン組なのだから。

で、ぼくもむろん疲れていて、のたくらしたいのだけど、ガンルームの隅のライティングデスクを借りて、この日記を書いている。べつに記録文学作家を気どっているわけではない。とにかく昨日と今日のことを、頭から紙の上に写してしまわないと、ぼくにとっては事件が終わらないのだ。だから、事件全体を把握して分析するのは、それこそ後世の歴史家かジャーナリストにまかせて、事件の一部当事者として、見たこと聞いたことをできるだけ正確に書いておこう。

一三日に、さすがにことなかれ主義のサックス少将も、外科手術を決意したのだった。

「自分のかわりに責任をおってくれる相手を見つけたい一心からさ」

と、リンツ中佐が、ポプラン少佐の影響をうけたみたいなことを言った。だがとにかく、サックス少将は、航法士の誰かが故意にまちがったデータをコンピューターにいれたのだ、と断定して、犯人さがしに乗りだしたのだった。

「あほうでないかぎり断定するだろうな」

と、これもリンツ中佐の評価だ。

その結果、船団を危地におとしいれた犯人が見つかった。それは、グリーンヒル大尉と同室のイヴリン・ドールトン大尉だったのだ。彼女は船団航法士官《CN》であり、なんでもかんでも慣習とことなかれ主義でおさめてきた船団の中枢にいたのだから、考えてみれば、まっさきにうたがわれる立場にいた。いわば、絶大の信頼を裏切ったというわけだ。

けっきょくのところ、ドールトン大尉はある目的をもって、故意にぼくたちを危険な宙域にひっぱってきたというわけだ。それは判明したのだが、その後の処理が、はなはだまずかった。まあ、サックス少将としては、自分の裁量できる範囲内で事件を解決したかったのだ、と思う。それは当然だけど、ヤン提督のところへ船団司令部から報告があったのは、ドールトン大尉が武器をもって緊急管制室にたてこもってしまった、そのあとだった。

サックス少将のあわてぶりは、イゼルローンの勇者たちにとって、おかしくもあり、見ぐるしくもあるらしい。リンツ中佐とポプラン少佐が、めずらしく口をそろえて言った。

「なんと危機対処能力に欠けるおっさんだ。だから国内輸送船団の指揮官ぐらいしかつとまらないのさ」

これは、キャゼルヌ少将なら腹をたてる言いぐさだろうと思う。後方補給は戦闘の勝利をささえる、たいせつな要素だと信じているから。でも、むろん、ポプラン少佐やリンツ中佐の言うことを、全面的に真にうける必要はないのだけど。

とにかく、サックス少将としては、手におえなくなってからヤン提督に泣きついたことになるわけで、本人にもばつが悪いことだろう。逆にいうと、それだけ事態は深刻ということになる。ヤン提督がなんとなく、おもしろくなさそうなのは、今度の件にかぎらず、手遅れになりかけてから処理を押しつけられる例があまりにも多いからだ。

「しかしまあ、とんでもないことになったもんだ」

ポプラン少佐が言った、むろん、すごくうれしそうな声で。つくづく、トラブルの好きな人だと思う。昔の宗教で、悪魔は人間界の不和や争乱をエネルギー源にしている、といわれていたそうだ。だとすると、ポプラン少佐は悪魔の一族にちがいない。陽気で、かっこうがよくて、恐れを知らない悪魔。

ぼくと似たような感想を抱いたのだろう、ポプラン少佐が席をはずした隙にヤン提督がぼくにささやいた。

「なあ、ユリアン、トラブルがおきないにこしたことはないが、どうせおきるなら、トラブル好きの男がいたほうがなにかとやりやすいというものだろうね」

「……それで、ポプラン少佐を同行なさったんですか？」

「いや、結果論で自分をなぐさめているだけさ」

ヤン提督としては、サックス少将から泣きつかれるのはともかく、この件をかたづけないとハイネセンへ行けない。いやいやながら、本気でとりくむしかないわけだ。

それにしても、なぜドールトン大尉がこんなことをしたかというと、やはり二〇〇万の帰還兵のなかに、ドールトン大尉を裏切った昔の愛人がいたからだという。グリーンヒル大尉が聞きだしたところでは、その愛人は、すでに妻がいたのに、ドールトン大尉に結婚を餌にしてちかづき、軍需投機家と結託した不正行為に大尉をまきこみ、あげくに大尉の追求をのがれて帝国軍に身を投じたらしいという。

「うん、それは男が悪い。絶対に男が悪い」

　ポプラン少佐が大きくうなずくと、それにコーネフ少佐が反論した。

「そういう、ろくでもない男にほれこんだ女性のほうにはなんの責任もないのかな。すくなくともその男は、自分を愛するよう強制はしなかったはずだろう」

「強制しなかったにしても、結果責任を共有しなかった以上、男により多くの非があるさ」

「男女間のことだけを問題にしているのじゃない。自立とは自分の頭で考えることだろう。男が悪い、ですませるのは、思考停止の正当化でしかないのじゃないか」

　フレデリカさん、ではない、グリーンヒル大尉がせきばらいしなかったら、ポプラン少佐とコーネフ少佐の論争は、もっと長くつづいたかもしれない。

「提督、わたしがドールトン大尉を説得してみますわ」

　いちばん、有益なことを言ったのはグリーンヒル大尉だった。ヤン提督は、とにかく事情をききだすよう依頼して大尉を送りだしたが、

「あぶなくなったら、すぐに逃げてきなさい」

などと言うものだから、リンツ中佐やポプラン少佐に、にやにや笑われていた。でも、誰が行くにしても、「生命をすてて祖国のために任務をまっとうしてこい」なんて言う人では、もともとないのだ。もしポプラン少佐が出かけても、「けがするなよ」ぐらいは言うと思う。

けっきょく、二時間がかりのグリーンヒル大尉の説得も実らず、やがてグリーンヒル大尉はベレー帽を片手にした姿で、つかれたような表情でもどってきた。

「申しわけありません、提督、お役にたてませんでした」

「……うん、しかたないね、ご苦労さま。けががなくてなによりだった」

ほんとうになによりだったけど、これでまたやりなおしである。

「いっそ、ドールトン大尉のやりたいようにさせたらいいだろう。恨みかさなる男を殺させてやったら、あっさり投降するんじゃないかな。このさい、ひとりの犠牲はやむをえないって」

ひどい提案だと思うが、ポプラン少佐は平気なものだ。まさかこの声が聴こえたわけでもないだろうけど、ドールトン大尉のかつての愛人とやらは姿をくらまして出てこない。

だされたコーヒーをひと口すすって、グリーンヒル大尉がポプラン少佐に反論した。

「目的をはたしたら、ドールトン大尉は自殺するとわたしは思います」

「かまわないさ、させてやったら？」

突き放したようにポプラン少佐が言った。

「思うに、死にたくない人間を死なせるのは罪悪だが、死にたい人間を生かしておくのも、逆方向の罪悪だと思うね。わが国は自由の国だそうだし、生死は本人にゆだねてなんら問題なしさ」

「問題はありますわ、ポプラン少佐。ドールトン大尉がどのような方法で自殺するか、です。全船団、あるいはこの輸送船を道づれにしないとは断言できません。彼女が船団航法士官《CN》であることをお忘れなく、ね」

「忘れたいなあ」

とポプラン少佐は、にがにがしそうにうなった。

ヤン提督が考えこんでいるのも、グリーンヒル大尉が念を押したことを、忘れることができないからだ。ドールトン大尉が、すでに精神のバランスを失っていることは、一〇日の件ではっきりしている。うかつに手をだして、二〇〇万の帰還兵に害がおよんではたいへんだ。

「こういうときシェーンコップ准将がいてくれたらなあ」

しみじみとポプラン少佐が言うので、この人はほんとうはシェーンコップ准将を信頼しているんだな、と思ったら、とんでもないまちがいだった。

「だって、ユリアン、考えてもみろよ、奴《やっこ》さんだったら、死んでもおかしくないじゃないか」

ぼくは思わずよろめいてしまった。冗談だと信じたいけど、一万分の一くらいは本気がまじっているかもしれない。

このままでは埒《らち》があかない。自分が突入する、と、カスパー・リンツ中佐が申しでたが、ヤン提督は首をたてにふらなかった。リンツ中佐の能力をうたがっているのではない。あくまで二〇〇万の帰還兵に害がおよばぬよう、と考えているのがぼくにはわかる。この間、一時、船内に催涙ガスが流れてひと騒動あった。MPがドールトン大尉をガスぜめにしようとして気づかれ、通気システムを狂わされたからである。小細工をするからだ、と、ヤン提督はにがにがしそうだ。

こうして、膠着《こうちゃく》状態のまま一三日は終わってしまった。正確にいうと、一四日の三時ごろまで、ぼくもがんばって起きていたのだけど、軍服を着たままいつのまにか眠りこんでしまったらしい。我にかえったとき、もう八時ちかくになっていた。誰かが毛布をかけてくれていた。ヤン提督はじめ、みんな一睡もしていなかったことは、すぐわかった。自分ひとり眠りこんでしまったことが、ひどく恥ずかしかったけど、ポプラン少佐は緑色の瞳でにやりと笑って、

「けっこう度胸のいい坊やだ」

と言い、コーネフ少佐は、

「寝る子は育つ」

と言ってくれた。おかげで、よけい恥ずかしくなってしまった。

とにかく、前の日から事態は全然よくなっていないのだった。正しい航法データを、ドールトン大尉の手で破棄されてしまったら、船団は外部に救助をもとめないかぎり、この宙域でうごきがとれなくなる。ワープしたとたんに、今度こそどこかの恒星のなかに飛びこんでしまう

かもしれないのだ。

「うーむ、航法ってだいじな仕事だったんだなあ。ばかにするのはよそう」

ポプラン少佐が眠気ざましのコーヒーをすすりながら反省の弁を語ったけど、かなりわざとらしかった。

コーネフ少佐が、皮肉なのか感心しているのか、よくわからない表情で、

「昨夜以来、たったひとりの女性の指に、二〇〇万人の生命が握られているわけだ。とにかくも女傑ではあるさ」

「にしても、彼女、徹夜で孤独で、おれたち以上にまいっているはずだぜ」

「そして、いらだっているかもしれない」

まったく、それが最大で最高のネックなのだった。なんだっていちばん肝腎な緊急管制室をのっとられたのか。いまさら言ってもしかたないけど、そこを占拠されているかぎり、航宙にかんするすべての指令を遮断されてしまうのだ。すくなくとも、船団司令部の怠慢、あるいは油断は、否定できないところだろう、と思う。

「どんな理由があっても、二〇〇万人もの人をまきぞえにすべきではない、と、わたしは言ってみたけど、無益だったわ。ドールトン大尉はそんな線《ライン》はとっくに踏みこえているんですものね」

グリーンヒル大尉の声にも疲労がある。ひとりだけ眠りこんでしまった自分のあつかましさ

が、ぼくはまた恥ずかしくなった。それはまあ、ぼくが起きていたところで、なんの役にもたたなかっただろうけど。

この日記を書きながら考えてみると、ぼくはほかの人たちと体験を共有できる機会をもてたはずなのに、自分ひとりそれを逃がしてしまったのが、きっとくやしかったのだと思う。誰のせいでもないのだけど、起こしてくれればよかったのに、と、理屈にあわない不満があったように思えるのだ。勝手なことだ。

その後、夕方まで、まったくうごきがなかったわけではない。サックス少将としても、すべてをイゼルローン組にまかせて冬眠しているわけにもいかず、いっぽうでMPにも事件の処理を指令していた。これを責めるわけにはいかないだろう。イゼルローン組が事件の処理に失敗したときのことだって、考慮にいれておかねばならない。それに、ちょこちょこと手をだして、ひとりで閉じこもっているドールトン大尉のあせりを誘うことも、ひとつの戦術ではあるのだ。——とは、すべてヤン提督の説明だ。その説明はむろん正しいのだけど、現実にMPたちが通気口にもぐりこもうとして失敗したりするのを、何度も見ていると、安っぽい映画を何時間も見せられている気分になる。

そのうち、なにか頭をよせて相談していたリンツ中佐、ポプラン少佐、コーネフ少佐の三人が、結論をだしたらしく、ヤン提督に許可をもとめたようだ。提督は二度三度、なにか答えて了承した。それが一五時ちょうどである。

いきなりうごきが生じたのは一五時五分ごろだ。船が恒星にむかって通常航行を開始した、と、悲鳴まじりの報告が船橋《ブリッジ》からあり、混乱がはじまったのだ。

「どうやら心中を強行する気らしいぜ、彼女」

コーネフ少佐が、なぜか黒ベレーを一度ぬいでかぶりなおしながら言うと、ポプラン少佐が、しみじみとした口調で答えた。

「一対一の心中ならのってもいいが、一対二〇〇万じゃ男に不公平すぎるなあ」

それからのことを、なるべく正確に再現したいのだけど、できるかどうか。恒星突入までの時間が三時間三〇分と算定された直後、船内施設のエネルギー源が停止して、周囲は真っ暗になった。肉視窓から恒星の光がはいってくるだけだ。船内はパニック状態になった。帰還兵たちが、各船室にとじこめられ、外に出ていた人たちはなにかわめきながら走りまわる。で、パニック状態のなかで実力を発揮するのが、イゼルローン組＝ヤン艦隊の持ち味なのだ。それまでお茶を飲んでは考えこんでいただけのヤン提督が、やつぎばやに命令をくだした。

「帰還兵たちだけじゃない。ドールトン大尉も忍耐心と冷静さを失ってパニック状態になっている。いまだったら、ばかばかしい策《て》でもひっかかる」

一七時、一隻のシャトルが、輸送船から離脱した。そのシャトルには、ドールトン大尉のかつての愛人が乗っているということを、ドアをたたいてグリーンヒル大尉が告げた。肝腎の男を逃がして、罪のない者ごと輸送船を恒星に突入させても無意味だ、と。一七時五分、回避不可能となる寸前に、輸送船は針路を転じた。輸送船の唯一のレーザー・ビーム砲がシャトルに狙いをさだめる。このとき、ビーム砲にエネルギーを充填《じゅうてん》するため、船内の配電システムが生きかえった。一七時八分、シャトルは砲撃をうけて光の塊になり、四散した。

むろん、このシャトルには誰も乗っていなかったのだ。

パニックが完全におさまらないうちに、緊急管制室のドアを爆破して、ポプラン少佐とコーネフ少佐が突入した。このときリンツ中佐はヤン提督、グリーンヒル大尉、ぼくの三人を、パニック状態の群衆から守るために残っていた。

そして、ふたりの撃墜王《エース》は、すでに銃で頭を撃ちぬいたドールトン大尉の遺体を発見したのだ。

「そうか、やはりおれの予感が的中したな」

もっともらしくポプラン少佐はうなずいたが、コーネフ少佐が知らん顔なので、

「おい、どんな予感か訊きたくないのか?」

「べつに。非公開の予言なんかには、一ミリグラムの価値もないからね」

このとき、ぼくも部屋にはいりこんで、目撃したのだけど、ポプラン少佐はあきらかに、なにか言いかえそうとした。だが、適当な反論を考えつかなかったようで、開きかけた口を閉ざしてしまった。

そのとき、ようやく船団司令部所属のＭＰが駆けつけてきた。〝ＭＰの仕事は、自分より弱

い者を相手にすること〟という言葉を思いだした。高圧的な態度で、ふたりを押しのけて、ドールトン大尉の遺体を乱暴にひきおこそうとした。

みごとな呼吸だった。こんなに統一された動作は、まだ施設にいたころ無重力サーカスチームの〝剣と炎の舞〟を見て以来だったと思う。ＭＰはふたりの撃墜王《エース》に、同時に左右から脚をはらわれて、床まで短いスカイダイビングをやってのけた。

「淑女《レディ》の前だ、礼節をお守りありたし」

「危険人物が死んだら、急に勇ましくなったな」

手きびしい台詞をあびせられて、ＭＰは不快そうだった。でも、けっきょく、ドールトン大尉の自殺で、事件は表面的には終わってしまったし、そうすると事後処理はＭＰと船団司令部にまかせるしかないのだ。ヤン提督に言われて、コーネフ少佐とポプラン少佐はひきさがった。

サックス少将はヤン提督にたいして、やたらと頭が低く礼を述べたそうだけど、具体的な内容は、ぼくは知らない。ぼくが提督のところへもどろうとしたとき、少将は、ハイネセンにことのしだいを報告するため、出ていくところだった。ぼくの顔を見ると、提督は言った。

「ドールトン大尉が、私の策《て》にのったとは思わないね。彼女は承知のうえだったのさ、あのシャトルに昔の愛人が乗ってなんぞいないってことを。シャトルを撃ったとき、彼女は、自分自身の過去と未来を撃ったんだろう。それで、けりをつけたわけさ」

「提督……」

「……なんてね、あんまり柄でないことを言ったようだ」

苦笑して、提督はあごをなでた。

「まあ、このていどですんだことを、ありがたく思わなきゃならないだろうね、ユリアン。悪くすれば、いまごろ恒星の一部分になって、宇宙の一隅を照らしていたかもしれないんだし……」

ヤン提督は、きっと、言いたいことが山ほどあったと思う。提督にとって、いま、どれほど時間がたいせつなものか、すこしでしかないけど、ぼくにはわかる。ドールトン大尉のやったことをうらめしく思わなかったとしたら聖人の域に達した人だろう。

いっそ、これがヤン提督を標的にした銀河帝国軍の陰謀だったとしたら、かえって納得できるのかもしれない。でも、今回、ヤン提督は私怨による復讐にまきこまれただけなのだ。

ぼくはなんといってなぐさめてよいかわからず、とりあえずシロン葉のお茶にブランデーをよぶんにいれてもっていってあげた。

「お前、お茶さえ飲んでいれば私が幸せだと思っているだろう?」

そう言いながら、けっきょくヤン提督はお茶を飲んでしまった。このぶんでは、まだまだ大丈夫だと思う。

グリーンヒル大尉は、ドールトン大尉の遺体に化粧してあげたそうだ。そしていま、とにかくぼくたちは生きている。終わりよければすべてよし、なのかな。

七九七年三月一五日

ドールトン大尉の遺体が、宇宙葬にふされた。参列者はごくすくなく、三分の一が〝イゼルローン組〟だったことを書きとめておこう。式が終わったあと、ポプラン少佐とコーネフ少佐の会話が耳にはいった。

「いい女がかならずいい男に出会うものなら、世の中の悲劇は半分にへるだろうな。そう思わんか、コーネフ」

「ドールトン大尉がいい女だという確信があったのかい」

「まあ、すくなくとも美人ではあったよ。要件の四九パーセントは満たしている」

ただ、いっぽうで、ドールトン大尉のおかげで船団全体が危機におちいったという事実も厳然として存在する。昨日の日記にも書いたけど、ほんとうなら、とっくにハイネセンに到着していなくてはならないはずなのだ。

「一週間も遅れてしまいましたね。大丈夫でしょうか」

ぼくが言うと、ヤン提督は、紅茶のレモン風味がききすぎたときのような表情をした。

「……まあ、サックス少将の努力に期待するさ。それに、一日あれば、用件はなんとかすむ。余裕がなくなるだけだからね」

ドールトン大尉の件で、ひとつだけよい結果があったとすれば、サックス少将が以前ほど尊大でなくなったということだ。あいかわらず、境界をつくって、ちかづこうとはしないけど、あまり窮屈ではなくなった。もう、ひたすら、一日でも早くハイネセンにつきたい、と、少将も考えていることだろう。

七九七年三月一六日

ハイネセンから案内と歓迎のために、艦隊がやってきた。巡航艦が四隻と駆逐艦が一五隻だ。これ以上、不祥事がおこって船団の運行が遅れてはたまらない、ということらしい。歓迎式典が二度も延期されたので、ハイネセンの〝政府首脳《おえらがた》〟も、頭から蒸気を噴きあげているらしいのだ。公式行事の予定も狂うし、経費も二重にかかる。それは平然としていられるわけもない。

「みんな予定が狂って、こまっていることだろうな。私ばかりじゃないさ」

そうヤン提督は自分をなぐさめているけど、自分自身であまり納得できないでいるらしい。ぼくなどは、ついつい同盟という枠のなかでしか、ものごとを見ないけど、ヤン提督の目は一万光年をこえて、銀河帝国のラインハルト・フォン・ローエングラム侯を見つめている。ドールトン大尉の件で、行動の自由がいちじるしく制限されてしまっては、残念にちがいない。まさか、このことで未来の人類史が変わってしまうようなことはないだろうけど。
なければいいけど……。

第八章　ベンチの秘密会議

七九七年三月一七日

サックス少将が名誉回復をねらっているのかもしれない。船団のスピードが急上昇して、かなり予定の遅れをとりもどしたようだ。明日にはハイネセンに到着するというから、たいへんなものだ。

ひとつには、航路の算定などを政府と軍部でやってくれたので、それに要する時間が大幅に省略された、ということがある。二〇〇万の帰還兵がハイネセンに到着するのを、まず〝おえらがた〟たちが熱望しているというわけだ。

ドールトン大尉の事件は、〝ささやかな突発事〟ということで処理されてしまうらしい。

「底までほじくっても誰も得をしない」

という理由を聞かされたとき、ヤン提督とコーネフ少佐とポプラン少佐が、あきれたような表情で異口同音に、

「おみごと」

とつぶやいたのが印象的だった。

だが、とにかく、いずれにしてもハイネセンに到着するのがなによりも優先されるべきであるにはちがいなく、その点ではけっこうなことといえるかもしれない。

七九七年三月一八日

同盟の首都、惑星ハイネセンに、ようやく到着した。予定より、なんと一〇日も遅れて！

その結果、ハイネセンには三泊するだけで、二一日にはイゼルローンへむけて出発しなくてはならない。

「予定が、予定が、予定が……」

と、ヤン提督はいつもの悠然さもどこへやら、いつもなら口にするはずもない言葉をくりかえす。ついぼくは訊ねてしまった。

「予定をのばしては、いけないんですか、一週間ぐらい滞在するとか……」

「冗談じゃない。私はもともと四月のはじめにはイゼルローンにもどっているつもりだったんだ。でないと、おそらく、まにあわない」

それ以上言わないのは、言えばドールトン大尉の事件をぐちることになってしまうからだろう。

いっぽう、ぐちるどころか、憤然としている人もいるわけで——

「たった三泊とはなにごとだ。七二時間で用がたりると思うか。おれはシンシアとブレンダとアナベルとコリンヌとエセルとクレアとバイオレットとカロリーヌとルフィーナとベルナデッタとテレサとアポロニアとメイ・リンに会わなきゃならないのに！」

一気に言い終えて水を飲むポプラン少佐だった。

ぼくはなるべく正確に書きとめたつもりだけど、二、三人の欠落はあるにちがいない。もっとも、コーネフ少佐に言わせると、「おなじ名前を何度かくりかえしていたんじゃないかい」ということだけど、ちょっと気づかなかった。

とにかくポプラン少佐は宇宙港のテレフォンセンターにとびこんで、いつまでたっても出てこないので、ほかの面々は彼を見すてて、それぞれの行先に散ることになった。

リンツ中佐は、結婚した姉さんの家へ。コーネフ少佐は両親と四人の弟妹の待つ実家へ。そしてグリーンヒル大尉はもちろんグリーンヒル大将の邸宅へ。

二〇〇万人の帰還兵たちが、大歓迎をうけているので、ヤン提督はそれほど人目をひかずにすむ。だからこそ、提督は、わざわざ帰還兵の船団《コンボイ》に同行してきたのだ。

ドールトン大尉の事件は、たしかに、とんだ計算ちがいだったけど、ヤン提督でさえ、この世のできごと全部を見とおすわけにはいかないのだ。たった三日でも、ハイネセンに滞在できるだけよしとしなくてはならない――三度もくりかえして言うものだから、ぼくも提督の心のうごきがわかってしまう。

宇宙港周辺の電話センターは、どこも帰還兵やジャーナリストで満杯なので、裏街へもぐりこんで、ようやくあいている電話を見つけた。六つの送受話器のうち四つまでが故障していて、ヤン提督をなげかせたけど、とにかく五つめで、宇宙艦隊司令長官のアレクサンドル・ビュコック大将のお宅と連絡をとることができた。

司令長官との話が終わると、ヤン提督はあきらかにほっとして余裕をとりもどしたようだ。

タクシーでシルヴァーブリッジ街の官舎へむかう。

ハッチソン街では、ここ何年か見たこともないような交通渋滞にぶつかった。ヤン提督がタクシーをおりて事情を聞きに行ったけど、すぐ警官に追いかえされてしまった。

「自分はヤン・ウェンリー提督だ、と名のったら、おそれいって親切にしてくれるんじゃありませんか」

「いやだよ、そんなの。なんだって見ず知らずの相手に名を名のらなきゃいけないんだ」

ヤン提督が問題にしているのは、〝無名の市民にたいする公共サービスの劣化〟なのである。有名人や特権階級にたいしては、どんな社会体制においても充分以上の公共サービスがおこなわれることになっているのだから。

今日のヤン・ウェンリー語録。

「市民にたいする公共サービスの均質化のすすみぐあいは、社会の民主性の度合に正比例する」

よくおぼえておこう。

七九七年三月一九日

ハイネセン滞在の二日め。午後には帰還兵を歓迎する式典があり、夜には記念パーティーがある。どちらもヤン提督が毛嫌いしているものだ。出席せずにすむなら、そうしたいにちがいないけど、そもそもヤン提督がハイネセンまではるばるやってきた表むきの理由は、それらに出席することにあるのだから、さぼるわけにはいかない。こうなると、行方をくらましてしまったポプラン少佐がじつに頭がよくみえる。

ようやくもどった官舎のサービス・システムも、あまり満足できるものではなかった。冷蔵庫は霜とり状態になったまま、窓には洗浄剤が乾いてこびりついているし、シャワーの水温調節システムも修理してない。だいいち、到着予定の日以来、一〇日間もそのまま放置してあって、きちんとしているのは請求書だけというありさまだ。

こんなことなら、ホテルに泊まるようにしておくのだった。たった三日のことだし……でも、こんなことになるなんて予想もしなかったから、イゼルローンを出発する時点で、いちばんいいと思う方法をとったのだけど、えらそうにヤン提督に言った手前、自分の読みの浅さがはずかしい。

さてどうしようか、と居間の中央に突っ立って考えこんでいると、こと家庭運営にかんしては気楽いっぽうの人が声をかけてきた。

「ブランデーが一杯ほしいなあ」

「野菜ジュースでしたらあります」

「あのな、野菜ジュースでインスピレーションが生まれると思うか？」

「心のもちかたひとつです」

われながらすごいことを言ってしまったと思う。ヤン提督はいそがしくまばたきしながらぼくを見つめ、傷つけられたような声で、

「ユリアン、そんな言いかた、誰に教わった……？」

いまのぼくの環境をつくった最大の責任者が、そんな被害者めいた発言をしていいものだろうか。でも、ぼくは、たしかに提督の責任ではないことで不愉快になっていて、提督に多少つっけんどんな言いかたをしたのは事実だ。

まったく、ぼくは、自分でときどき増長していると思わざるをえないことがある。悔いあらためて、ブランデーをもっていくと、提督がすごくうれしそうに両手をこすりあわせて、「多謝、多謝」

とつぶやいた。

「一杯だけですよ！」

と、ぼくは言ったが、わかっているのだ、よけいな一言だというのは。それでも言ってしまうのが、ぼくの生意気なところなのだ。

「今夜のパーティーは、礼服を着なくちゃ、どうしてもいかんかなあ。こんなもの窮屈なだけなのにな。二度と着ないぞ」

「だめですよ、結婚なさるときには、どうなさるおつもりですか」

「いいよ、結婚なんかしないから」

できないから、と言わないあたりが、せめてものプライドなのかな。とにかく、計画どおりパーティーを脱けだすまでの辛抱だから、とくどいて、ようやく礼服に着かえさせた。でも、考えてみると、どうしてぼくがそんなこと言わなくてはならないのか不思議だ。

提督がパーティーの会場で一万人の紳士淑女の群のあいだを（たぶん犬かきで）泳ぎまわっているあいだ、ぼくは会場の隅で椅子の上に片あぐらですわって待っていた。この横着な姿勢は、もうあきらかに誰かの悪影響だ。二〇時をすぎたころ、勝手に盛りあがっている人々をすてて、提督が出てきた。

「ユリアン、そろそろ脱けだすぞ」

「アイアイサー」

ぼくも準備をととのえていたけど、提督もめずらしく機敏だった。なによりも礼服をぬげることがうれしくてたまらないのだ、と思うのはまちがいではあるまい。

昨日のうちあわせどおり、コートウェル公園に行って、ビュコック司令長官と落ちあった。三人ともパーティーでなにも食べていなかったので、フィッシュ・アンド・チップスとミルクティーをスタンドで買いこんで、まず腹ごしらえした。

それからヤン提督とビュコック司令長官とのあいだで、重大な話がはじまったのだ。

そのくわしい内容を、日記に書くわけにはいかない。万が一にも他人の目に触れたらたいへんだから。将来、これが歴史上のできごとになって、書いてもさしつかえない、ということになったら書くことにしよう。回想録かなにかに。

それにしてもスリルを感じずにいられなかった。自由惑星同盟軍《フリー・プラネッツ》を代表するふたりの名将が、ベンチに腰かけて、安っぽいフィッシュ・アンド・チップスを口に放りこみながら、宇宙を二分する戦略の成否について語りあっているというのは、たぶん一生に二度とは見られない光景だと思う。

ぼくは何度かベンチを離れた。一度は、『ミハイロフの店』というスタンドに、フィッシュ・アンド・チップスとミルクティーを買いたしに行ったのだけど、あとは、誰か不審な者がいないか、パトロールめいたことをしてみたのだ。さいわいそんな人間は見あたらず、何組かの恋人と、酔っぱらいと、清掃ロボットに出あっただけだった。

ふたりの名将の、ベンチでの秘密戦略会議が終わったのは、二三時ちかくだった。一〇キロ離れた高級ホテルでも、盛大な宴が終わったころだろう。

別れしな、ビュコック提督はぼくと握手をしてくれた。そしてこう言ってくれたのだ。

「お若いの、これからもヤン司令官を手助けしてやってほしいな」

感激、ただもう、それだけ。

「ご苦労さま。明日はなんの予定もないからな、ゆっくり朝寝しててていいぞ、ユリアン」

官舎に帰ると、そうありがたいご託宣をいただいた。興奮していて、あまり眠れそうにもないけれど、この日記を書いたら、ホットミルクを一杯つくって、シャワーをあびて、寝室にひっこむことにしよう。提督が飲みすぎないことを祈って。

七九七年三月二〇日

昨日は、わざわざヤン提督がハイネセンまでやってきた、その重大な用件が、ようやくすんだ。明日は、ハイネセンを発してイゼルローンへもどらなくてはならない。なんとなく、今日はエアポケットみたいな一日だ。

と、朝のうちはそう思っていた。ところが、そうもいかなかったのだ。

ヤン提督自身も、たぶんのんびりと提督らしく一日の余暇を楽しむつもりだったと思うけど、食後のお茶を飲みおえると、あたふたと身づくろいしてとびだしていった。「お昼は適当に食べておいてくれ」と言い残して。あのジェシカ・エドワーズ女史からＴＶ電話《ヴィジホン》がかかってきたのだ。

その直後だった、フレデリカ・グリーンヒル大尉からＴＶ電話《ヴィジホン》がかかってきたのは。提督の不在を確認した大尉は、すこし失望したようだった。なぜか今日はヤン提督のもてること。二〇代の最後の日々に、ささやかな栄光というべきかしら。などとしようもないことを考えていたら、大尉が重大な問いを投げかけてきた。

「帰りの宇宙船はどうなっているの？」

「帰りの船、ですか……？」

「そうよ、どの船でイゼルローンへ帰ることになっているの」

「…………」

「やっぱりねえ」

ため息まじりに小さく笑ったグリーンヒル大尉が、いそいで手配してくれたおかげで、ぼくたちは明日イゼルローンへ帰る船を確保することができた。とんでもない手ぬかりというべきだった。帰りの船を手配してなかったのだから。人は〝奇蹟のヤン《ミラクル》〟と呼ぶけど、たしかにヤン提督にグリーンヒル大尉みたいな副官がいるのは、奇蹟というしかない。

船の手配がすんだところで、ぼくも外出のしたくをした。

「お昼をいっしょにどう？」

と、イゼルローン一の美女が誘ってくれたのだ。むろん、補欠だとわかっているけど、こんな補欠なら大歓迎する。鈍感な正選手の穴を、がんばって埋めなくては、ね。

ヤン提督とエドワーズ女史とのあいだでは、〝おとなどうし〟の話があったのだろうか。そうかもしれないけど、亡くなった友人の婚約者と会う暇があったら、グリーンヒル大尉と食事でもしたほうが、ずっと、なんというか、建設的だとぼくは信じる。エドワーズ女史はりっぱな人だけど、ぼくはもういっぽうの女性をひいきにしているのだ。

それにしても、グリーンヒル大尉はお父さんのお相手をしなくてもいいのだろうか。ちょっと気になったけど、

「父もなにか妙にいそがしいらしくてね、今日はふられてばかり」

ということだった。おかげで、ぼくは望外のごちそうと、立体映画《ソリムービー》と、街の散歩を手にいれることができたわけだ。

……で、今夜は、のこのこ帰ってきたヤン提督に、一昨日におとらずつんけんしてしまったけど、これは私心に発するものではない。あくまで騎士道精神のゆえだ、と思っている。

七九七年三月二一日

今日みたいな日は、最初になにから書けばいいのだろう。――ぼくたちはハイネセンを離れた。短いが充実した三日間。きっと生涯、忘れることはないにちがいない――

なんて書くことができればよいのだけど、それほど荘重にはいかなかったのだ。

まず、七時に目ざましをセットしておいたのに、シルヴァーブリッジ街全体の配電システム点検のために、停電があって、目ざましは沈黙していた。一七日に地区住民に予告があったというけど、ぼくたちが知るはずもない。八時すぎにとびおき、ヤン提督の寝室に駆けこんで揺すぶりおこした。玄関をとびだしたところへ、グリーンヒル大尉がタクシーをとばして駆けつけてきた。ようやく宇宙港に着くと、リンツ中佐とコーネフ少佐が待っているだけ。

「ポプランがいないぞ。彼はどうした?」

「たぶんブレンダかメイ・リンかベルナデッタかの寝室でしょう」

「コーネフ少佐、そう知っているなら、心あたりの住所に連絡をとってくれないか」

「残念ですが、提督、小官が知っているのは彼女たちのファースト・ネームだけでして。彼女たちの住所も髪の色も知りません」

「まったくもう、帰るときのことを考えにいれずに行動しているんだからたまらんな。同行者の身になってほしいものだ」

自分のことを遠い遠い棚に放りなげて、ヤン提督が天をあおいだとき、リンツ中佐が提督の肩をたたいた。中佐の視線を皆が追うと、停車した地上車《ランド・カー》からポプラン少佐がころがり落ちるところだった。ベレーとスラックスとブーツはちゃんと身につけているけど、ジャンパーとスカーフはバッグといっしょに手につかんで、パールブルーのシャツはボタンもとめてない。

「やあ、まだ充分、時間があったらしいな」

と、とんでもないことを言う。コーネフ少佐が、

「エセルがしつこかったらしいな」

そう皮肉っても、

「いや、バイオレットさ。どうやら義理を欠かずにすんだ」

と、平然たるものだ。

それ以上、問答している暇もなく、ぼくたちイゼルローン六人組は、もつれあうようにゲートをくぐり、新造駆逐艦カルデア66号に這いこんだのである。

七九七年三月二二日

ハイネセンからイゼルローンへ、四カ月前とおなじコースをたどって、あらたな旅がはじまる。

と書いたものの、多少、ペンがすなおにすすまないのを意識する。なんとまあ、あわただしく、おちつきのない旅がつづくことか。はやくイゼルローンへ、ぼくたちの家へ帰っておちつ

きたい。これはぼくひとりの気持ちではなく、力づよく賛同してくれる人がいる。

「そのとおりだ。もっとも、おれ個人にかんして言うなら、ハイネセンからイゼルローンへ行くのはいい。その逆もかまわん。だが、要するに途中の長さが、おれには耐えがたいのだよ、ユリアン。一度に一万光年を跳躍《ワープ》できるような時代が、早く来てくれないものかな」

ポプラン少佐は、昨日は昼食にも夕食にも出てこず、二〇時間眠りっぱなしだった。今日の朝食に、ようやく顔をだして、

「よく眠れたかい」

とヤン提督に訊ねられると、こう答えたものだ。

「いや、ベッドとは眠るための場所だったんですね、ひさしぶりに再確認しました」

「永遠に眠っていいんだぜ」

とは、リンツ中佐のつぶやきである。

でも、なにはともあれ、六人がいっしょで、往路よりずっと寛容な環境にいられるのがうれしい。カルデア66号の艦長ラン・ホー少佐は、ヤン提督を尊敬していて、同行の五人にもそのおこぼれをくれる。操艦をさまたげないかぎり自由にふるまえる。これが往きと帰りで逆だったら、たいへんだったろう、と、つくづく思ったことだった。

七九七年三月二三日

昨日書いたように、ぼくがいまいるのは、四カ月前にハイネセンからイゼルローンへとむかった、おなじ航路のうえだ。むろん、完全な同盟の領域だ。それなのに、四カ月前とはまったくちがう不安と緊張が、ぼくの周囲で、手をつないでダンスを踊っている。

とほうもないことが、同盟のなかでおころうとしている。帝国のほうでもなにかおこっているといわれるけど、さしあたっては同盟でおこっているできごとのほうが、ヤン提督の運命にかかわってくるのだ。

ぼく自身の運命は、ヤン提督の運命の附属物みたいなものだから、自分のことだけ独立させて考えても、しかたない。

ハイネセンで、ヤン提督とビュコック司令長官の相談を、ぼくはそばにいて聞いた。いままで知らなかったことを知るのは、スリルをともなった喜びを感じるけど、こまるのは、スリルのほうがどんどん大きくなっていることだ。それも、あまり健康でも明るくもない方向へむかって。

他人に知らせる必要もないことだけど、ぼくはヤン提督を守ると宣言した。そのためにまだ不充分すぎるけど、訓練もつみかさねている。ただ、宣言したときは、敵といえばローエングラム侯の帝国軍のことしか念頭になかった。いまではぼくは知っている。イゼルローンに帰りつくまでにも、危険がせまってくる可能性があることを。

リンツ中佐、ポプラン少佐、コーネフ少佐、グリーンヒル大尉、みなブラスターの手入れをはじめた。ポプラン少佐は口笛を吹きながら、ほかの三人は真剣そのもので、分解したりみがいたり組み立てたりしている。

「まあ一発、砲撃をくらえば、万事休してしまうが、こちらから無償の献血を申しでることもないだろうからね」

リンツ中佐がぼくに言った。ホルスターから抜き撃ちしてみせる手ぎわが流れるように美しい。

ポプラン少佐はしつこくおなじ曲を口笛で吹いている。コーネフ少佐が教えてくれたところでは、

「おれの生命は高級品、安く買うなどできはせぬ、おれの血一滴に敵の血一〇リットル、おれの髪の毛一本に敵の生首一ダース……」

という歌詞だそうだ。えらくぶっそうな歌なのに、曲だけは妙に軽快で、その落差がどことなくポプラン少佐という人のイメージにあっているような気もする。

「そこがそれ、ミンツくん、きみはもうポプランのイメージ作戦にのせられているんだぜ」

コーネフ少佐が笑った。さすがにポプラン少佐と一〇年来のつきあいだけある、というべきか。

ハイネセンを出発してから、ヤン提督はぼくたちになにか決意とか、そういったものを語っ

たわけではない。だから、ぼくのほかの四人がブラスターの手入れをはじめたのは、自主的なものだ。〝勘〟というと、それこそヤン提督は苦笑するだろうけど、なんやかやの状況証拠と、雰囲気に感応することで、皆、ある予感をいだいてるにちがいない。ぼくは、事情を知っているけど、むろん、ヤン提督の許可がないかぎり、口にするわけにはいかない。その時機がくれば、ヤン提督自身が皆に話すはずだ。たぶん、そう遠くのことではないと思う。

七九七年三月二四日

ドールトン事件以来、あまりにあわただしくて、忘れかけていたけど、今日はぼくの一四歳の最後の日なのだ。

ぼくの誕生日で一年をくぎっても、あまり意味がないけど、この機会に、ちょっとふりかえってみよう。といっても、けっきょくのところ、ヤン提督の足跡を再確認するようなものだけど。

昨年の三月二五日に、ヤン提督は少将になったばかりだった。そして今では大将だ。この間に、提督は、イゼルローン要塞を陥落させた。味方にかんするかぎり、一滴の血も流れなかった。さらにアムリッツァに出征して、同盟軍が二〇〇〇万の将兵を失ったとき、ヤン提督だけが、〝軍をまっとうして帰った〟のだ。その間、ぼくはハイネセンで、ただ提督の帰りを待っているしかなかった。

考えてみると、ぼくにとって、そしてヤン提督にとっても、この一年は〝出会いの年〟だったように思う。ほんとうに、いろいろな人に出会った。じつをいうと、ぼくの現在の交友(?)関係は、すべてヤン提督をつうじてのものだ。イゼルローン奪取の前に、はじめてグリーンヒル大尉と出会った。イゼルローンに来てから、何人もの人と知りあうことができた。ヤン提督が、ビュコック司令長官と以前より親しくなれたのも、この一年のことだ。いっぽう、士官学校以来の友人だったロベール・ラップ少佐を失ったのも一年前だった。

ぼく自身の変化というと、軍属になって、ヤン提督が出征したとき、そばにいられるようになった。これがなによりも偉大な変化というべきだ。そう、アムリッツァの戦いが終わるまでのぼくは、出征するヤン大佐を、准将を、少将を、中将を、見送ることしかできなかったのだから。

ぼくはいま、一四歳と三六四日の、たんなる子供でしかない。提督の従卒として、身のまわりのお世話をするだけだ。だけど、想像する自由だけはある。ときどき、ひとりごとを言ってみるのだ。

「宇宙艦隊司令長官ヤン・ウェンリー元帥」

これはすこしもだいそれた想像ではない。それにつづけて言ってみる。

「宇宙艦隊総参謀長ユリアン・ミンツ大将」

これはもう、空想というより妄想というべきだろう。でも、そうなりたいと、ぼくは本気で思っている。思うことは簡単だ。実現させることこそがたいせつなのだと思う。それはもう、不確定の未来のことではあるけど。

七九七年三月二五日

今日はぼくの誕生日だ。ぼくは一五歳になり、ほんの一〇日ほどのあいだだけ、提督と一四歳ちがいになる。この期間に、ぼくをつれて人と会ったりすると、ヤン提督はことさらに、

「私と一四歳ちがいのユリアンです」

などという紹介のしかたをするのだ。

考えてみると、一五歳ちがいというのは、中途半端な年齢差だと思う。二五歳ちがいなら親子だし、五歳ちがいなら兄弟だ。ちょうどその中間なのだ。

ぼくをヤン提督にひきあわせてくれたキャゼルヌ少将には感謝しているけど、一度だけ訊ねてみたことがある。ふつうだと、ぼくは結婚した軍人の家庭に送りこまれていたはずではないだろうか。なぜ独身のヤン・ウェンリー大佐のところへ行くことになったのだろう。

「ユリアンはいまの境遇がいやかね？」

「とんでもありません」

「だったらどうでもいいさ、気まぐれかもしれないし、くじの結果かもしれないし、たんなる手つづきのミスかもしれないし……」

というぐあいで、正確には教えてくれなかった。じつはぼく自身、根ほり葉ほり知りたいわけでもなかった。ミスならミスで、とてもありがたいミスだと思う。

それにしても、ヤン提督は一五歳のとき、どんな少年だったのだろうか。一年後には、お父さんを亡くして、士官学校の寮にはいることになるのだが、当時はお父さんの商船で宇宙を旅してまわっていたはずだ。

「とにかく、うちの親父ときたら、子供を、壺みがきの手伝いとしか思ってなかったからなあ」

それで、いつか提督の赤ん坊のころの写真を見たことを思いだした。たしかに、手に壺をかかえていた。提督が自分の記憶をたぐっていくと、いちばん古い記憶として残っているのは、お父さんのそばにすわって、布きれで壺をみがいている光景だそうだ。

「考えてみると、悲惨なおいたちだよなあ。母親はいないわ、父親は奇人だわ、よくもまあ、ぐれることもなく、まっすぐな性格に育ったと思うよ」

論評はさしひかえたい。

〝ぐれる〟といえば、ぼくの誕生日を知ったポプラン少佐が、今朝こう言った。

「いよいよ反抗期の奥深くだな。ぐれてやる！　と一言ユリアンが口にしたら、ヤン提督が椅子からずり落ちるだろう。そういう光景を一度、見てみたいもんだ」

おなじ台詞を、ぼくは以前、アレックス・キャゼルヌ少将から聞かされたことがある。そう言う人たちの気分は、わからないではないけど、ちょっと反発を感じることがある。つまりこの人たちは、まずなによりも、ヤン提督が〝椅子からずり落ちる〟のを期待しているわけだが、それと同時に、もうひとつのことを期待しているのではないだろうか。ぼくが提督にさからう、ということを。

だとしても、むろん真剣にそう願っているわけではない。あくまでも冗談である。それはわかっているつもりだ。でも、その心の奥には、ぼくにたいする手ひどい過大評価、というか、誤解がある。ぼくが優等生で、いい子で、ヤン提督にはすぎた存在だ――という誤解だ。

ぼくはそんなたいそうな存在じゃない。いつかも日記に書いたけど、より相手を必要としているのは、ぼくのほうであって提督ではない。そのことを皆に知ってもらいたいと思う。

だが、じつはキャゼルヌ少将もポプラン少佐も、そんなことは百も承知なのではないか、と思うことがある。ぼくが図にのって、「ぐれてやるつもりです」なんて言ったら、笑われるか、ひっぱたかれるか、ではないだろうか。ぼくの周囲にいる人は皆そうだという気がする。

さしあたり、今日のところは、そう深刻ぶることもないようだ。グリーンヒル大尉が手配してくれて、ぼくはささやかだけど楽しいパーティーの主役にしてもらった。あわただしい出発のせいで、プレゼントはもらえなかったけど、手製の予約券が五枚。イゼルローンにもどったらなにかもらえることになっている。とても楽しみだ。
「つぎはヤン提督の誕生日ですね」
そう言ったのがポプラン少佐ではなくリンツ中佐だったから、たぶん純粋な善意からだと思うけど、数パーセントの不安もある。いずれにせよ、提督はノー・コメントだった。コーネフ少佐によると、そのときの提督のような表情を、〝憮然《ぶぜん》〟というのだそうだ。

七九七年三月二六日

大きくもない船のなかで時間をつぶすというと、本を読む、ビデオを見る、カードをやる、三次元チェスをする――ぐらいしかない。だいたいやりつくしてしまったが、往路とちがって皆まだ気分に余裕がある。ちなみに、ポプラン少佐によると、〝男と女がいれば、おのずとべつの楽しみがある〟そうだ。

七九七年三月二七日

サックス少将とちがって、ラン・ホー少佐はときどきぼくたちの船室にやってくる。今日もコーヒーを飲みにきて、航宙《セーリング》が予定どおりであることをヤン提督に報告した。

イゼルローン到着予定は四月八日である。ヤン提督は、

「今度こそ遅れてもらってはこまる」

と、妙な表情で言った。妙な表情、というのは正しい書きかたではないかもしれない。見なれない表情、というべきだろうか。つまり、気むずかしい表情なのだけど、ヤン提督と気むずかしい表情というのは、なかなか連想がはたらきにくい関係にある。

ヤン提督は、ひとりでいるときはそんな表情をすることもあるだろう。実際、そっと見たこともある。でも、他人にむけて気むずかしい表情をすることはめったにない。

ぼくにお説教するとき、むりやりそういう表情をつくることはあるけど、今度の場合は、ごくしぜんに出たものだ。いま、提督にとってどれほど時間が貴重なものであるか、ぼくにもわかるような気がする。ただ、船上にある以上、船室で走りまわってもしかたないから、ヤン提督はお茶をすすって気をまぎらわすというわけなのだ。

いずれにしても、今度の航宙《セーリング》では、ティーバッグが不足してこまることはないだろう。ハイネセンで、グリーンヒル大尉と食事した帰りに、ぼくはアルーシャ葉とシロン葉を三ダースずつ買いこんだのだ。五〇日ぐらい漂流しても安心である。だけど、たっぷり余裕を残して到着するのがベストであることは、いうまでもない。

七九七年三月二八日

「退屈だ、往きにはとうとうお目にかかれなかったが、今度こそ美人の女海賊が出てこないかな」

この発言に、主語をつける必要があるだろうか。〝ベッドは眠るためのもの〟なんて言ってたのは、とうに忘れているのかもしれない。しばらく話しているうち、なぜか話が、〝理想的な死にかた〟というものにおよんで、わが撃墜王《エース》は、〝酒を飲んで凍死がいちばん〟という説を鼻先で笑った。

「なんてこころざしの低い死にかただ。おれはスパルタニアンの操縦席にすわったまま、すくなくとも一ダースの美女にかこまれて死ぬつもりさ」

ちょっと無理な、矛盾した状況であるように思えたので、そう言ってみたら、

「そうでもないさ、考えてみろよ」

と平然としている。どうせ暇だから考えてみてもいいけど、どうせまともな答えではないに決まってるだろうな。

七九七年三月二九日

昨日のポプラン少佐の宿題の答え。〝一二人の帝国軍の美人パイロットに包囲されて撃墜さ

れること〟だそうだ。なんと言ったらいいか、ちょっと感想の述べようがない。まあ、たしかに本望だろうけど。じつをいうと、ぼくは、〝スパルタニアンの絵を描いたシーツをベッドに敷いて、周囲に美女をはべらせること〟と思っていたのだけど……。

七九七年三月三〇日

三〇分前にこの日記を書いていたら、〝なにもなし。平和な航宙〟と書いたかもしれない。いまは、そうはいかない。大事件がおこった。統合作戦本部長のクブルスリー大将が暗殺されかかったのだ。

とにかく、無事に一日が終わりかけ、夕食をすませたぼくたちは客室にたむろしていた。リンツ中佐とぼくが三次元チェスをやっているところへ、ポプラン少佐とコーネフ少佐がなんだかんだと口をだし、チェスだか悪口雑言の交換会だかわからなくなったところへ、ラン・ホー少佐が青い顔でころがりこんできたのだ。しかもそのときは、クブルスリー大将が〝暗殺された〟ということだった。

むろん、チェスは中断。

「ハイネセンへおもどりになりますか」

というグリーンヒル大尉に、ヤン提督は首をふった。

「いまひきかえしても、意味はない。私はイゼルローンへ帰って、艦隊を手中におさめなくてはならないんだ。でなくては、奴らに対抗できないからね」

奴ら、という台詞を耳にして、〝イゼルローン党〟の面々はヤン提督のほうをいっせいに見つめた。

「それにしても、往路で一〇日間もむだにしたのが、いまにして思えば痛いなあ」

ドールトン大尉がうらめしい、と、口にはだささなかったけど、ヤン提督はしみじみとつぶやき、そこで、周囲の視線に気づいた。

イゼルローンから同行した五人と、ラン・ホー少佐にだけ、ヤン提督の戦略予測がうちあけられたのはこのときである。その内容は、むろんハイネセンでビュコック提督にだけ知らされたものだ。提督からあらためて口どめされたこともあるけど、まだその内容を書くわけにはいかない。将来の回想録まで待つ必要はなさそうだけど、無事にイゼルローンに帰りつくまでは、書かずにおこう。

話を聞いて、皆、おどろきもし、納得もし、自分たちのおかれている状況に緊張もした。しばらく口外しないように、というヤン提督の指示は、むろんこころよく了承された。ただ、グリーンヒル大尉は、ちょっと不安そうだ。お父さんのグリーンヒル大将がハイネセンにいるのだから、むりもないと思う。夜の第二報で、クブルスリー大将が一命をとりとめた、とわかり、一同やや安心する。

七九七年三月三一日

〝退屈しのぎの時間つぶし〟に、あたらしい種類がくわわった。ハイネセンから送られてくる軍事用、民間用の超光速通信《FTL》で、クブルスリー事件の続報を聞くことだ。チェスをやっていても、カードをやっていても、皆いまひとつ身がはいらず、ちょくちょく通信室にまで顔をだしてニュースを知りたがる。いまのところ、めだった続報もない。不安と、それをうわまわる好奇心が、イゼルローン組の顔に浮かんでいるのがわかる。ぼく自身もそうだろうと思う。

「さしあたって、情報の統制はおこなわれていないようだな。だとしたら大丈夫、まだ時間はある」

　ヤン提督はそう言う。クブルスリー大将を撃った犯人が、アムリッツァの敗戦の責任者であるフォーク准将だと知って、ぼくはおどろいたのだけど、そんなことはヤン提督にとっては枝葉のことでしかないらしい。それにしても、これはいよいよ〝ヤン艦隊〟が出動する時期がせまったのだな、と、思わずにいられない。

第九章　出撃前夜

七九七年四月一日

クブルスリー大将暗殺未遂事件ののちは、平和な航宙《セーリング》がつづいている——と言っていいのだろうか。ハイネセンへいく航宙のときだって、ぼくは〝平和な旅〟だなんて書いたことがあるのだ。いま思うと赤面ものだけど、まったく、人間に未来を予知することはできないものだ。だけど、むろんヤン提督は、ぼくなんかと次元がちがう。イゼルローンを出発する前から、ヤン提督の頭には、今日のような事態が描かれていたのだ。それは、具体的に、いつどこで誰がどうなる、というようなことではない。人間に、それこそそんな予言ができるはずはないのだ。

ヤン提督がやっているのは、水晶玉をのぞきこんで、なんの分析もせず霊波とやらで未来を予言するようなことではない。情報を集め、知識をたくわえ、分析し、思考し、洞察し、計算することなのだ。人間だから、むろん能力の限界はあるに決まっているけど、こと戦略と戦術にかんするかぎり、ヤン提督にできないことは、誰にもできはしないのだ。ラインハルト・フォン・ローエングラム侯にだってできるはずがない、と、ぼくは思う。ただ、同盟におけるヤン提督の権限より、帝国におけるローエングラム侯の権限のほうがはるかに強いから、実行の段階では、ローエングラム侯がやれることのほうが、ずっと多いだろうけど。

ぼくがそう言うと、ヤン提督は笑う。笑ってひやかす。

「ひいきのひき倒しにならないようにしておくれよ、ユリアン」

それは注意しなくてはならないことだけど、でもぼくは理由もなくヤン提督をひいきしているわけではないつもりだ。

ヤン提督以外の誰に、エル・ファシルで民間人を救出することができただろう。難攻不落のイゼルローン要塞を占領することは？　アスターテやアムリッツァで味方の全滅をふせぐことは？　ヤン提督にしかできっこないのだ。

「そうだね、ユリアン、いままでのところ私は負けたことはない。だけど戦いつづけていれば、いつかは負ける。私が惨敗したときでも、私が正しいと思えるかい？」

「もちろんです」

「それは支持じゃない、信仰だよ」

「提督が負けるはずはありません。ローエングラム侯にだって、きっと勝ちます」

ぼくはむきになった。こうなると、自分でも自分が論理的だと断言する自信はない。

ヤン提督はしばらくぼくを見つめ、黒ベレーをぬいで髪をかきまわした。

「ローエングラム侯にも、不敗を信じている部下がいるだろうね。それではユリアン、お前がおいしいお茶をいれてくれるかぎり、私もなるべく負けないようにしたいと思うよ」

ぼくにとって、それはうれしい取引だった。

七九七年四月二日

ハイネセンからの続報では、クブルスリー大将の容態は、二度にわたる危機を脱して、安定にむかったという。船内に、ひと安心した空気が流れる。

だが、長期の入院が必要であり、当然なことに、統合作戦本部長というきびしい職務はつとまらない。本部長代理がおかれることになるだろう、という。

「第一候補は、ビュコック爺さんだろう」

「ほかに、それらしい人もいないしな。人望、実績、どれをとってもビュコック提督で決まりさ。対抗馬がいるとしたら、グリーンヒル大将くらいかな」

船内の噂だ。ぼくには多少、異存がある。ビュコック大将を好きだし、尊敬もしているけど、統合作戦本部長の座は、ヤン提督にこそ、もっともふさわしい。ちょっと、われながら調子がいいかな。つい先日は、宇宙艦隊司令長官の座こそがヤン提督には似あいだと思っていたのに。

いっそヤン提督が両方を兼任して、ビュコック提督には力強い後見人として国防委員長になってもらえばいいと思う。思うけど、実現することはありえないだろう。若くて元気なはずの人物が、「いそがしいのはいやだ」と言うにちがいないから。

七九七年四月三日

またしても凶報だ。先月のクブルスリー大将暗殺未遂事件は、首都でおこったのだけど、今度は辺境だ。

惑星ネプティスで、軍の一部が叛乱をおこし、要所を占拠したという。

「えらいことです、先月のことといい、わが軍はいったいどうしてしまったんでしょう」

ラン・ホー少佐が顔を赤くしたり青くしたりしながら、声を震わせる。あのサックス少将よりずっといい人だと思うけど、あまり胆力《たんりょく》はないようで、おちつきはらっているイゼルローン組の人たちとは対照的だ。もっとも、ポプラン少佐やコーネフ少佐を基準にしてほかの人を判定したらよくないのだろうけど。

ヤン提督はかるく苦笑して、ラン・ホー少佐を安心させようとした。

「心配することはないよ、ラン・ホー少佐、ネプティスには恒星間航行能力をもった戦力集団は配置されていない。この艦を攻撃してくる危険はないよ。私が保証する。貴官は当初の予定どおり、私たちをイゼルローンへはこんでくれればいい」

尊敬する〝魔術師ヤン《ヤン・ザ・マジシャン》〟にそう言われて、ラン・ホー少佐はたちまち元気になり、やがて艦内放送で「まったく心配ない、動揺することなく各自の任務につとめよ」と語ったのには、悪いけど笑ってしまった。

じつは、ヤン提督はこのときむしろ〝ぺてん師ヤン《ヤン・ザ・ドジャー》〟だったのだ。たしかにネプティスから攻めてくることはないだろうけど、それに呼応した勢力が攻撃してこないという保証はない。たとえ一隻でも、戦艦か巡航艦がおそってきたら、カルデア66号の戦闘能力では対抗できないはずで、そう安心してもいられないのだ。

「ユリアンの言うとおりだよ。だけど、彼をそう不安がらせる必要もないからね。だいいち、そうなったとき対応の方法といったら、どうせ逃げまくるしかないんだからな」

逃げる、という言葉で思いだした。昨年、アムリッツァでわが軍が大敗したとき、ヤン提督が第一三艦隊にくだした命令のことを。

「よし、全艦隊、逃げろ！」

このとき第一三艦隊は、戦闘においてはかなり優勢だったのだ。だけど、戦局全体を見ると、ほかの味方は敗れてどんどん後退している。ここで戦術的勝利を追求しても意味はない。敵中に孤立して、袋だたきになるだけだ。敵が追撃の力をたくわえないうちに、さっさと逃げだすべきなのだ。

そうヤン提督は考えた。おかげで、何十万もの兵士が生きて還れたのだ。ヤン提督は、まったく正しかったのだ。ただ、ぼくは思うのだが、ヤン提督とおなじように考える指揮官はほかにもいるだろう。だけど、「逃げろ！」とこういう場合に命令する指揮官はほかにいないのではないだろうか。〝後退〟とか〝転進〟とかいやらしい言葉を使わず、がちがちの軍人がいやがる〝逃げる〟という言葉を、ことさら使ったところがヤン提督らしいと思うのだ。

ぼくが、なるべくさりげなさそうに、そう意見を述べてみたら、ヤン提督は、くすくす笑っただけでなにも言わなかった。

グリーンヒル大尉は、そのとおりだ、自分もそう思う、と、熱心に賛同してくれた。ポプラン少佐は胸をそらせて、

「おれだって、いさましく逃げるぜ、そういうときは」

と断言したが、そういうかたちでいばるようなことでもないだろうと思う。

なんだか、よけいなことでページを使ってしまったような気がする。今日の朝、起きたときには、ヤン提督の二〇代最後の日をレポートしようと思っていた。ごく平静に、つつがなく時間が経過して、談笑やゲームがあって、平凡だけどいい日で終わるかと思っていたら、夕食の直前に、ネプティスの凶報だ。

ぼくが気にしなくてはならないのは、ヤン提督の戦略上の予測が現実化しはじめたということだ。提督の正しいこと！　つまりイゼルローンにもどることさえできれば、ヤン提督にはい

くらだって計画も成算もあるということだ。だからこそ、一刻もはやくイゼルローンへもどらねばならないのだ。ラン・ホー少佐にはそれだけを考えてもらわねばならない。そういったことをすべてわきまえたうえで、ヤン提督はラン・ホー少佐を安心させたのだ。

ぼくにはやっとそれがわかった。この落差は、いったいなんだろう。

七九七年四月四日

記念すべき日だ。それとも、呪うべき日かな。ヤン提督の三〇歳の誕生日が、とうとうやってきた。

「毎日毎日、不愉快なことばかりおきるなあ」

と、ヤン提督はぼやいている。つい昨日は、惑星ネプティスで武力叛乱がおきた。それにつづいて今日は――ということらしい。

「パーティーをやりましょうね、提督」

と言ったら、

「この非常時に」

という答えがかえってきた。提督はこのごろ使いなれない台詞を使うことが多い。

「ついにヤン提督も三〇歳になったか、積悪《せきあく》のむくいでしかたないな」

あまりにポプラン少佐の喜びようが無慈悲に思われたので、ぼくはヤン提督の味方をしたくなって言ってみた。

「でも、少佐、少佐もいつか三〇歳になるんですよ」

「ならないよ」

その答えかたが妙に真剣に思えたので、ぼくはあれと思った。まさか〝その前に死ぬ〟なんて言うのじゃないだろうな。

「だって、おれは人類とちがう生物だからな。身をやつして卑しい軍人なんぞやっているけど、じつはきらきら星《ツインクル・スター》の高等生命体で、二九歳になったら逆に若がえるんだぜ。そして一八歳まで若がえったら、また二九までは年をとるんだ。これを永遠にくりかえすのさ」

「そのきらきら星の住人が、なんだって人間のふりをしてここにいるんです？」

「それは、むろん、愛と平和の尊さを、後進星のあわれな人々に教えるためでね」

「さぞたくさんの人に教えなきゃならないんでしょうね」

「当然だ、小羊よ、愛の教えは少数の者に独占させるべきではありませんぞ」

ヤン提督とすこしちがった意味で、ぼくは生涯この人にかなわないような気がする。

とにかく、提督の誕生日を祝うことは以前から決めていた。知っているのに無視してみせるのもいやらしいと思ったからだ。

グリーンヒル大尉は、むろん喜んで協力してくれた。当のご本人に知られないよう、てきぱきとパーティーの準備をすすめてくれたが、ヤン提督の心理については、不思議そうな表情をして言うのだ。

「どうして三〇歳になるのをいやがるのかしらね。二〇代の男性なんて、まだ子供よ。おとなの男性の価値は三〇歳をすぎてからだと思うけど……」

とすると、ぼくなんかは赤ん坊も同然にちがいない。ちらりと、ぼくはふたりの男性のことを思いうかべた。シェーンコップ准将とポプラン少佐にぜひ意見を訊いてみたいものだ。三〇歳以上と三〇歳未満の代表の意見を……。

「問題は個性であって、年齢ではないんじゃないかな」

というのが、実際に意見をきいたコーネフ少佐の感想である。これは一般論であると同時に、グリーンヒル大尉についての特殊論になるそうだ。ぼくは、ふと、コーネフ少佐自身についての特殊論を聞いてみたい気もしたけど、どうせ笑うだけで教えてくれないだろうと思ったのでやめた。

パーティーをやってもらう当人は、すなおに喜ばなかった。

「他人の不幸を笑いものにして、どこがおもしろいのかねえ」とか、「借金の期日だって延期できるのに、どうして誕生日は延期できないんだ」とか、あげくは「私が三〇歳になったからって誰が幸福になるわけでもないだろう。祝う必要なんかない」とまで言って抵抗した。だけど、たとえばポプラン少佐などは、幸福ではないにしてもうれしそうだった——むろん不純な動機から。

けっきょく、ヤン提督は観念してパーティーに出たけど、アムリッツァで敵軍に包囲されたときだって、あんなに緊張しなかったのではないだろうか。

ぼくの誕生日のときとおなじく、カルデア６６号の司厨長《シェフ》が、あまり完全なかたちとはいえないケーキをだし、ヤン提督はやけっぱちでキャンドルの火を吹き消した。

ちなみに、当のヤン提督も、周囲の人も、林立するキャンドルが三〇本あったと思っているだろう。ぼくは知っている——キャンドルを用意したグリーンヒル大尉が、わざと二七本しかケーキに植えなかったことを。だからどうしたって言うような人と、ぼくは友人になりたくない。

七九七年四月五日

ふたつの情報がもたらされた。ひとつは、完全な凶報。もうひとつも、吉報とはいえない。

まず、惑星カッファーで武力叛乱がおき、当地に駐在していた同盟軍どうしが衝突した。ラン・ホー少佐はまた動転したけど、ネプティスのときほどでなかったのは、カッファーがネプティスよりずっと遠くにあるからだろう。

つぎに、クブルスリー大将の代理に、ビュコック司令長官でなくドーソン大将が任命された。

統合作戦本部の次長三人のうち、最年長の人である。そして、ダスティ・アッテンボロー提督が毛嫌いしているあの人だ。ドーソンという名を聞いたとき、最初、皆、小首をかしげていたけど、たちまち沸騰《ふっとう》した。

「なに、あのじゃがいも士官が統合作戦本部長だって？　同盟軍も人材の畑が荒廃してしまったらしいな」

リンツ中佐がうなると、ポプラン少佐が、

「仕事さえしなきゃ、無能とはいえない男だがね」

とは、あまりな酷評だと思う。だけど、ドーソン大将が〝じゃがいも士官〟なんて呼ばれる理由を聞いたら、ぼくもいささか同盟軍の将来にたいして悲観的になってしまった。この人はかつてどこかの艦隊で後方主任参謀をつとめたとき、食糧のむだづかいを調査するといってダスト・シュートをのぞきまわり、じゃがいもが何十キロか捨ててあった、と発表して兵士たちをうんざりさせたのだとか。

「国防委員会のお歴々にじゃがいもを贈って猟官《りょうかん》運動でもしたんだろうぜ」

ポプラン少佐が、そうはきすてると、コーネフ少佐もうなずいて、

「たいした武勲をたてたわけでもないからな、どうせそのあたりさ。トリューニヒトとはいいとりあわせだ」

たいした武勲もたてずに大将になれるとしたら、それこそたいしたことかもしれない。そう

いう気もすこしするけど、さあ、どんなものだろうか。

七九七年四月六日

ぼくは予言する。きっと明日も、ろくでもない事件がおきるにちがいない。

えらそうにこう断言するのは、昨日の五日、その前の三日、と、このところ一日おきに、ラン・ホー少佐をあわてさせ、ポプラン少佐を喜ばせるような事件がおきているからだ。つぎの事件は明日あたりおきるのではないだろうか。

それにしても、今度の航宙《セーリング》は、往きと還りがほんとうに対照的だった。往きは船内でなにかとトラブルがおこり、外の世界は平和だった。還りは船内は平和で楽しいけど、外の世界で嵐が吹き荒れている。

帰り着いたら、いったいどうなることだろう。

七九七年四月七日

予言ははずれて、今日は、この日記を書くまでに凶報はきていない。めでたいことなんだけど、せっかく予言したのだから、なにかおこってくれないかな。

いけない、まるで某提督や少佐みたいなことを書いてしまった。やっぱり教育環境がよくないのだ。

ささやかな凶報ならあった。ハイネセンからの放送で、政府が来年度からの増税を決定したというのだった。ヤン提督は、みるみる機嫌が悪くなって、政府の安直な増税をひとしきり攻撃したあと、早く年金生活にはいって税金や宮づかえと縁を切りたい、と言いだした。

「でも年金からだって税金をはらわなきゃならないいんですよ」

「誰がそんなことを決めたんだ?」

「財政委員会でしょうね」

「私は許可していないぞ」

「むこうもべつに許可なんかほしくないいんじゃないですか」

「なんという悪政だ。帝国では人民の意志を無視して大貴族どもが悪政をしいているが、同盟では人民にえらばれた政府が悪政をやっている! いったいどちらの国が、たちが悪いんだかわかりゃしない」

「…………」

こんなことを話しあっているうちに、今日は終わってしまった。明日は、いよいよイゼルローンに到着する。往復一カ月半の旅も、やっと終わるのだ。

七九七年四月八日

今日、イゼルローン要塞に帰着した。予定どおりである。そんなことに感心していてもしかたないのだけど、なにしろ往路があぁだったものだから、〝予定の正確さ〟というものが、なんだか感動的に思えるのだ。

「ラン・ホー少佐は名艦長だ」

とヤン提督も賞賛し、ほかの人も反対しようとしないから、ハイネセン行の予定大幅遅れが、皆よほどこたえたのだと思う。

ラン・ホー少佐とカルデア66号は、このままイゼルローン要塞にとどまって、帝国方面の哨戒や巡視をつとめることになっている。そういう命令が正式にくだされたわけではないけど、同時に、すぐハイネセンへもどるように、という命令もきていないから、ラン・ホー少佐としては、いずれ事態がおちつくまで、適当な場所で働いたほうがいいのだそうだ。むろん給料はキャゼルヌ少将が要塞経費からひねりだすだろう、と、ヤン提督は言うのだけど、キャゼルヌ少将がだめと言ったらどうなることか。

今日の夕食は、ひさしぶりにキャゼルヌ夫人の料理をごちそうになった。その席で、カルデア号の処遇も決まった。

「そのていどの費用はひねりだせるが、いよいよイゼルローンは変人どもの巣になってしまいそうだな」

キャゼルヌ少将が皮肉ったけど、変人の総指揮官は、こたえない表情でブイヤベースをたいらげていた。ところで、ハイネセン行のチームが解散するときに、

「今日の夕食が気楽に食べられるといいけどね」

コーネフ少佐がそう言ったのは、ここ数日、夕食の前後に、大きな、しかも悪いニュースがとびこんでくることが多いからだ。予言的中、というべきなのか、デザートを食べはじめたところへ、水音もたてずにとびこんできた。

「惑星パルメレンドで武力叛乱発生！」

ヤン提督とキャゼルヌ少将は顔を見あわせ、ゆっくりデザートを食べ終え、それぞれ紅茶とコーヒーを飲みほしてから指令室へ行った。

むろんぼくも従卒としてついていったが、途中でアッテンボロー少将に出会った。

「聞いたか、ユリアン、どうやらこうやって見ると、平和なのはイゼルローンだけじゃないか」

そこでやめておけばいいのに、

「つまらん、つまらん、どうせならイゼルローンが嵐の中心になればいいのに」

などと小さくもない声で言うものだから、アッテンボロー少将はムライ少将に白い眼をむけられるのだ。まあ、アッテンボロー少将にかぎったことではないけど。

そのうち、〝歩く嵐の中心〟がひとり、パイロット・スーツ姿でやってきた。緑色の瞳を光らせて、ぼくに笑いかける。

「よう、元気そうでなによりだ。いよいよ、お前さんの好きな疾風怒濤《シュトルム・ウント・ドランク》の季節がやってくるぜ。生きてた甲斐があったろう？」

不本意な言われようだなあ、と思っていたら、そばからコーネフ少佐が言った。

「気にしないでくれ、こいつには、一人称と二人称をとりちがえるくせがあってね」

考えてみれば、〝ヤン艦隊〟が出動するのは、この名をもってから最初のことである。それが、銀河帝国のローエングラム侯と戦うのではなくて、自由惑星同盟《フリー・プラネッツ》のなかで内乱部隊と戦わなくてはならないのだ。これはかなり悲劇的な状況のはずだというのに、ぼくの周囲を見わたすと、けんかができる、と喜んでいる人ばかりで、せいぜいムライ少将が〝こまったものだ〟と眉をひそめているぐらいのものだ。もっとも、ポプラン少佐に言わせると、「なにがおこってもムライのおっさんは、こまったの一言ですませてしまう芸をお持ちだから」ということになる。

こうやってみると、イゼルローン要塞は、ほんとうに悪口雑言、皮肉、いやみ、毒舌の宝庫だと思う。だけど、ほんとうに相手を傷つけるような言葉が交されるのを、ぼくは聞いたことがない。つまり、イゼルローンがほんもののおとなの集団である、それが証明だ、と、ぼくは考えている。もっとも、とんでもない誤解で、たんにぼくが知らないだけかもしれないけど。

帝国内でもなにやら異変が生じたらしい。反ローエングラム派の貴族たちが、つぎつぎと拘禁されたり、帝都オーディンを脱出したりしているという。フェザーンとハイネセンを経由してきた〝長い長い〟情報だ。

「むこうでも始まったな」

ヤン提督の声は複雑だ。提督の予想どおりに時代がうごいていることにたいしては、〝ほら、私の言ったとおりだろう〟という気分があるにちがいない。だけど、同時にヤン提督はくやしいのだ。提督が中立で、自由にうごける立場なら、きっと帝国に飛んでいって、歴史が大きく変動する瞬間を目撃したいと思うだろう。いや、思うだけなら、いまだって思っている。それは、ぼくにだってわかる。

「帝国内でなにがおころうとも、結果は知れているよ」

とヤン提督は言う。ローエングラム侯が対立勢力を打倒して覇権をつかむことを、ヤン提督は知っているのだ。だが、それを自分の目で確認できないことが、残念でたまらないのだ。

提督の落胆をなぐさめてあげたくて、ぼくはハイネセンからもってきたブランデーをシロン葉の紅茶にそそいだ。つくづく思うのだけど、ぼくもあまり芸がないみたいだ。

七九七年四月九日

日記を書きながら、ほっとしている。今日は悪いニュースがなかったからだ。むろん、表面的なことでしかないけど。

イゼルローンにもどってくると、ほんとうにおちつく。ぼくにとっては、ここが完全に自分の家になってしまったような気がする。まだまる三カ月ていどしか生活していないし、もともと帝国軍の手でつくられたのに、なぜかぼくの感覚にしっくりくるのだ。いつかもキャゼルヌ少将が苦労していたように、日常生活レベルではいろいろ不つごうもあるけど、そんなものは工夫しだいでどうにでもなる。だいいち、雨漏りの心配もない。

またすぐにイゼルローンを離れて、今度はもっと長い旅に出ることになるだろう。その間、イゼルローンが機嫌よくぼくたちを待っていてくれると、うれしいのだけど。

七九七年四月一〇日

惑星シャンプールが、叛乱をおこした部隊に占拠された。この春、四番めの内乱だ。

「このさき、いくつの惑星が占拠されるやらわからんな」

評論家顔でアッテンボロー少将が言う。

「ところで、帝国軍の奴らは、おれたちのことを叛乱軍と呼んでいるよな。奴ら、シャンプールやパルメレンドを占領した連中のことを、なんと呼ぶんだろう。ダブル叛乱軍か、それともアンチ叛乱軍かな」

つまらないことを気にしている。ほんとうかどうか知らないが、アッテンボロー少将はジャーナリスト志望だったという話を耳にはさんだこともある。歴史学者志望もいるし、経営管理者になりそこねた人もいる。イゼルローンは、同盟軍最精鋭部隊の根拠地どころか、〝いやいや軍人〟の巣なのかもしれない。

ところでアッテンボロー少将は、同盟軍の最高指導者にたいして、まったく好意的ではない。

「首都を中心にして、ばらばらの四カ所で、ほぼ同時に武力叛乱が発生ときた。これを偶然と考えるのは、新任の統合作戦本部長ぐらいのものとちがうか」

すくなくとも、ドーソン大将は、人望のない統合作戦本部長として歴史上に名を残すのではないだろうか。

「建国後、三〇年か五〇年くらいで、外敵のない時期だったら、ドーソン大将で無難につとまったんだろうがなあ。この時期としては、たぶん最悪の人事だ」

と、キャゼルヌ少将もかばおうとしない。

「ヤン提督だったら、つとまりますよね。いっそイゼルローンに本部を移して、提督がみんな兼任すればいいのに」

そう言ってみたら、キャゼルヌ少将は、なんだかうさんくさそうな下目づかいでぼくを見やった。

「そうさな、能力からいったら、いますぐでもつとまるだろうさ。だが、意欲が問題だな。ふたりぶんの年金をよこせ、と、ことわるためにごねてみせるのが落ちだろうと思うがね」

ぼくは一言もなかった。

七九七年四月一一日

おもしろい警句が流行している、とアッテンボロー提督が教えてくれた。

「帝国軍とはなにか？　ラインハルト・フォン・ローエングラムと、その他大勢。同盟軍とは何か？　ヤン・ウェンリーと、その他すこし」

なかなか名言だ、というので、誰の言葉か訊ねてみると、〝ダスティ・アッテンボロー謹製〟だそうだ。だと思った。でも、そういうアッテンボロー提督のセンスは、軍人よりジャーナリストのものかもしれない、そんな気がする。

それにしても、この人は、ヤン提督の留守中は艦隊をあずかり、いまも全艦隊出動をひかえて編成や行動計画でいそがしいはずなのに、ぼくを相手によたをとばしていていいのだろうか。

そう思っていると、よほどドーソン大将を嫌っているらしく、また悪口を言いだした。

「いまだになんの命令もださないんだからな。どうせ出動命令をだすんなら、さっさとだせばいいいんだ。ぐずなじゃがいも野郎が」

と、もはや〝士官〟とさえつけようとしない。そのうち、食事に出てきたじゃがいもにフォークを突きさして、「ドーソンの野郎、思い知ったか」ぐらいのことは言うんじゃないかな。
そう思っていたら、そのあと会ったコーネフ少佐が言った。
「ああ、そういえば昨夜、アッテンボロー提督が、夜食のポテトグラタンをやたらとフォークで突きさしていたな。あれはなんだったんだろう」

七九七年四月一二日

とくに大事件はなかったけど、あわただしい一日だった。回廊の帝国軍方面は異様なまでに静かで、兵力を帝国本土内にひきあげている可能性もあるという。何千年ものあいだ、使いふるされた言いかただけど、〝嵐の前の静けさ〟というやつだろうか。アッテンボロー提督やポプラン少佐まで、今日は無口だった。

七九七年四月一三日

ヤン提督でさえ予想のつかないできごとがあるのだ。まったく、こんなことになるなんて。フレデリカさんが気の毒でたまらない。

おちついて、最初から今日のことを整理してみよう。できるかどうか、あまり自信はないけど。

今日最初のニュースは、とうとうドーソン大将からヤン提督に叛乱鎮圧のため出動命令がくだった、ということだ。それも四カ所の叛乱すべてをヤン艦隊だけで鎮圧しろ、ということで、

「こき使う気だな」

と、アッテンボロー提督が舌打ちした。

だがそのニュースも、つぎの凶報の予告でしかなかったのだ。ハイネセンでクーデターがおきた。しかもその責任者は、フレデリカさんのお父さん――ドワイト・グリーンヒル大将なのである。

「グリーンヒル大将が、あの人が、まさかなあ……」

〝まさか〟という言葉を、ヤン提督は三度もくりかえした。

ぼくだって信じられない。グリーンヒル大将は、知的な紳士で、軍部の良識派といわれていた人である。アムリッツァで大敗したとき、参謀長だったので、責任をとらされて、閑職にまわされていたけれど、いずれは統合作戦本部長になるだろう、という評判だった。ヤン提督も、ビュコック提督のつぎぐらいにこの人を尊敬していた。

会議室のスクリーンにグリーンヒル大将の顔があらわれたとき、ヤン提督はじめ幕僚一同、呆然としたが、フレデリカさん、ではない、グリーンヒル大尉はまっさおになって立ちすくん

だという。

ニュースにつづいて、噂が流れた。

「事情が事情だからな、グリーンヒル大尉はヤン提督の副官をつづけるわけにいくまい。解任か辞任か、形式のちがいだけだろう……」

ぼくは不安でたまらなかった。

グリーンヒル大尉のいないヤン艦隊なんて、想像することもできない。キャゼルヌ少将やシェーンコップ准将のいないヤン艦隊が想像できないように。

ポプラン少佐。アッテンボロー提督。コーネフ少佐。ムライ少将。その他、大勢の人たち。誰が欠けても、だめなのだ。そんなことは、ぼくが感じる以上にヤン提督にはよくわかっているはずだ。

センチメンタルだと言われるにちがいないけど、ぼくにとって、イゼルローンとは、ヤン艦隊とは、たんなる組織ではない。イゼルローンは家だけど、家には家族がいるべきだと思う。

いろいろ考えて、結論なんかもちろん出ないでいると、ヤン提督に呼ばれた。ブランデーを一杯と、会議の召集を頼まれた。それにつづいて、とても重要な一言が放たれた。

「ユリアン、グリーンヒル大尉をいそいで呼んできてくれないか」

「グリーンヒル大尉をやめさせるのですか？」

出すぎたことは承知のうえで、ぼくは訊ねた。

「ああ、ユリアン、私のことをそんなに有能だと思っていたのかい。グリーンヒル大尉がいなくても、うまくやっていけるほどの……」

ヤン提督は笑い、その笑いがぼくには、幸福の女神の一番弟子が笑ったように見えた。ぼくは、いつもより多くグラスにブランデーをついで提督に手わたすと、空中と床を半分ずつ蹴りながら、グリーンヒル大尉を呼びに走った。生まれてはじめての高速疾走だったと思う。

「……グリーンヒル大尉を解任したりすれば、ヤン提督は、自分の足を食うタコも同様だ。おれが期待していたほどりこうじゃないな」

シェーンコップ准将が平然と上官をこきおろしている。でもすぐに准将も見解を訂正しなくてはならないだろう。グリーンヒル大尉はいまもヤン提督のだいじな副官だ。

提督の部屋から出てくると、グリーンヒル大尉は最初にぼくに声をかけてくれた。

「いろいろとありがとう、ユリアン、いままでどおりよろしくお願いいね」

「こちらこそ、どうぞよろしく、副官どの」

グリーンヒル大尉は笑ったが、もちろん元気はなかった。

「それにしても、わたしって、だめな娘だわ。あのとき、父の態度から、今日のことを予測しなくちゃならなかったのにね」

「……だって、そんなこと不可能ですよ。なにも話してくださらなかったんでしょう?」

それ以上、ぼくは言えなかった。考えが整理できなかったし、それをうまく表現できそうになかったし、出すぎたまねをするのもいやだった。それに、グリーンヒル大尉は、お父さんからなにも話してもらえなかったことで、すでに充分ショックだったと思う。

グリーンヒル大尉は、ヤン提督の副官として、おそらくお父さんを相手に戦わなくてはならないだろう。それは不幸なことだけど、このうえヤン提督の副官をやめなければならないとしたら、もっと不幸だと思う。えらそうにぼくが評定することではないけど。

もうやめよう。ちゃんと今日のことを書けそうにない。時間をおいて、頭と気持ちを整理してからのほうがよさそうだ。

七九七年四月一四日

昨日は、たいへんな一日だった。今日になって昨日の日記を読みかえしてみると、やっぱりぼく自身もずいぶん混乱しているようだ。

じつをいうと、今日だって、おちついているとはいえない。昨夜、興奮して眠れなかったものだから、頭の芯には疲れがたまっている。それでいて、横になったところで眠れやしないのだ。

とにかく、いつかアッテンボロー少将が皮肉ったように、〝平和なのはイゼルローンだけ〟というありさまになってしまった。ラインハルト・フォン・ローエングラム侯が攻めてくるまでもなく、同盟は〝自分で自分の足を撃った〟のだ。
で、ヤン艦隊が、麻酔なしの外科手術に乗りださなくてはならないのだけど、一カ所の傷だけでなく、四カ所全部を手術しなくてはならない。それだけでもたいへんなのに、さらに、首都に居すわったクーデター部隊と戦わなくてはならないのだ。それもグリーンヒル大尉のお父さんを相手にだ。ぼくなどは、考えただけで気がおもくなる。

ところで、昨日の日記に書き忘れたことがある。ドーソン大将がなぜ四カ所の叛乱をすべてヤン提督に鎮圧させようとするのか、提督にはわからなかったのだ。それを提督はぼくに意見を聞くものだから、まずぼくはドーソン大将の年齢を確認した。それにつづいて、

「提督は三〇歳ですね」

そう言ったときの、ヤン提督の表情といったらなかった。無念というか憮然というか、いまいましいというか、そんなものがまざりあった感じで、

「うん、とうとうなってしまった……」

ぼくは提督にいやがらせを言ったのではない。提督はまだ三〇歳なのだ。三〇歳で大将だなんて、同盟軍の歴史上、はじめてのことだ。そねみ、ねたみが渦まいているにちがいない。この際、ドーソン大将は、自分よりずっと年下なのに、おなじ階級になりあがった気にくわない青二才をこき使ってやろうというのだ。あるいはひそかに失敗を望んでいるのかもしれない。ぼくはそう考え、そう言った。

「そうか、なるほど、こいつはうかつだった」

提督は苦笑したけど、たしかにうかつなのだ。提督にしてみれば、なりたくて大将になったわけではないから、他人にそねまれるおぼえはないと言いたいところだろう。ところが、世の中の多くの人々は、ヤン提督とちょっとばかり価値観がちがうのだ。

「欲望の強い人間は、欲望の弱い人間の心理を、けっして理解できない」

という言葉を聞いたことがある。これは、めずらしくヤン提督の受け売りではなくて、いつか立体TV《ソリビジョン》の教養講座で言っていたのだ。そのとおりだと思う。

ヤン提督は、お父さんが早く亡くなったばかりに、大学の歴史学科にすすむのを断念して、士官学校へ行かなくてはならなかった。士官学校に行ったら、戦史科が廃止されてしまった。こんなはずではなかった、と、ぼやきたくもなるだろう、と思う。しかも、いやいや入隊した軍隊で、他人がおどろくような才能をあらわしてしまった。武勲や出世を貴重なものと信じる人に、ヤン提督のぼやきが理解できるはずはない。ぼく自身は、もしかしたら彼らより悪質なのかもしれない。ヤン提督のほんとうの望みを知っているくせに、いつまでもヤン提督に不敗の名将であってほしいのだから……。

七九七年四月一五日

休暇は終わった！

と書くべきなのだろうか。イゼルローンにひっこしてきてから四カ月半。とうとうぼくは最初の戦いにのぞもうとしている。

「四月二〇日に出動だよ」

ヤン提督にそう告げられたとき、心臓が勢いよくスキップした。そのあと、ぼくは民間人地区に行った。アルーシャ葉とシロン葉のティーバッグを三〇ダースほど買いこむためだ。その途中、ぼくは民間人の男に呼びとめられた。

「どうかね、いったいヤン提督に勝算はあるのかね」

ぼくは思わず大声で叫んでいた。

「ヤン・ウェンリー提督は、勝算のない戦いはなさいません！」

男は気まずそうな表情になって、口をもぐもぐさせた。そんなに怒らなくてもいいではないか、と言ったのだろう。

怒りたくもなる。〝奇蹟《ミラクル》のヤン〟とか〝魔術師《ヤン・ザ・マジシャン》ヤン〟とかおだてあげているくせに、いざとなったら提督の力量を信じようとしないのだ。

あまり腹をたてたので、ティーバッグを買うという肝腎な用を忘れるところだった。

言葉は人間の足よりずっと速いものらしい。ぼくが買物をすませてヤン提督のもとへもどると、提督はもうぼくが言ったことを知っていた。

「お前に、スポークスマンとしての才能があるとは思わなかったよ。艦隊司令部報道官の席をあけておこうか」

「ぼくは提督のなさる人事だったら、喜んでうけます。でも、ぼくが言ったのは、は、っ、た、りではなくて事実ですよ。そうでしょう、提督」

ヤン提督はうなずいたけど、表情からは笑いが消えていた。

「そうだね、今後もずっとそうありたいものだが……」

沈黙がつづき、なにか考えこんでしまった提督は、やがてぼくの存在を思いだすと、

「ご苦労さま、今日はもうお寝《やす》み」

と、やさしく言った。ぼくは一礼して退出した。こういうとき、ぼくにできることは、提督の邪魔をしないことだけだ。そういうかたちでしか提督のお役にたてない、未熟な存在であることが、ぼくには残念でたまらない。

ぼくはヤン提督の〝幕僚〟ではない。半人前の従卒であり、提督の行動の自由をしばる、やっかいな被保護者であり、できの悪い弟子であるにすぎない。提督の考えを理解することは半分もできず、まして提督の考えを実行する力など、まったくない。いまはただ、提督のお役にたちたいという意思が、ぼくにはあるだけだ。そして、その意思があるということ、その意思を実体化するという目標をもっていることが、とても幸福だという気がしている。そのすべてを、ヤン提督がぼくにあたえてくれたのだ。

二四時になったら、提督にお茶をもっていこう。そして、ブラスターをもう一度点検してから寝ることにしよう。明日は、今日よりほんのすこし、目標にちかづくことができているかもしれないし、なによりも七時三〇分にはヤン提督を起こしてあげなくてはならないから。

解説

円城塔

二〇〇七年十月二十日

とあるトークショーのあと、廊下を歩いていたら、東京創元社の方に声をかけられた。

別にやましいところもないのに、いまだに変に緊張してしまう。ぼくは、いちおう、SF作家ということになっているけど、ほんとうのところ疑わしい。SF作家でございという顔をして歩いていると、生意気な奴だと思われて、色々な人に迷惑がかかることになりそうだから、真面目にしているべきだと思う。どこが真面目だ、と友人たちにはよく言われるけど。

「『銀河英雄伝説』読んでるか」

と、突然きかれて、何を答えればいいのか少しの間混乱した。

「読んでますよ」

「そうか読んでるか」

「読んでますよ」

という散文的なやりとりは、さすがに芸がなかったと思うのだけど、魚に、水を知っているか、ときくのと同じで、あらためて、そんなことをきかれるからには、何か裏があるのではないかと疑いたくなる。これは、本当はすこしむずかしい問いだ。『銀河英雄伝説』がSFという枠にはいりきるようなものではないことは明らかで、異端ではないけど、正統でもない。だから、どことなく触りにくい。あえていうなら王道だろうか。『銀河英雄伝説』という名前の帝王が、ひとりで王道を切りひらいた。

「解説書かない」

「書きません」

即答した理由については解説の必要がないと思う。ぼくらは、『銀河英雄伝説』を空気のように読んで育ったわけで、下手をすると、世界史よりも銀河の歴史の方に詳しい。ディエン・ビエン・フーときいても、まずグエン・バン・ヒューがうかんでしまうし、スーンと声をかけられれば、スールズカリッターと答えるようにできている。ぼく自身も、高校を卒業するときの文集で、推薦本に『銀河英雄伝説』をおしたりした。自然に漢字を覚えられるし、あの選択は間違っていなかったと今でも思う。

「いいか、円城」

ぼくには奇妙なくせがあって、いいか、のあとに人名が続くと、「女の子の涙ってやつは、氷砂糖をとかしたみたいに甘くて綺麗なんだぜ」と頭の中で続けてしまう。

東京創元社の方は、にやにや笑うぼくを、気味悪そうに眺めていたが、やがて諦めてくれたらしい。無理なことはどうしたって無理なわけで、書けないものは書きようがない。でもなんだかいい思い出のような気がしたので、こうして日記に書いておくことにした。田中芳樹の小説の解説を頼まれたなんて話をしたら、友人たちに正気を疑われるだろうなと考えると、なんだかおかしい。

二〇〇七年十一月五日

半月前は平静に受け止めてみたものの、それでもやっぱりあの話を受けたらどうなっていたかなと考えてみた。思い出すくらいだから、なにかの未練はあるようだ。

なんだか気持ちが落ち着かないので、本屋にいって既刊分の文庫の解説を眺めてみた。必要なことはみんな先に書かれてしまって、後になるほど大変そうだなと、ひとごとのように考えてみる。実際にひとごと以外のなにものでもない。自分の引き出しを利用して何かを書くにも、『銀河英雄伝説』から引き出しの方をもらってしまっているのだから書きようがない。

人生に必要なことは全て『銀河英雄伝説』で学んだ、と言うと、登場人物に嫌な顔をされるだろうけど、偽らざる気持ちというものだろう。

恩返しと思えといわれても、無理だとしか思えない。魔法の行使は魔術師に頼んで欲しい。

もしも、イゼルローン日記を書いていた頃のユリアンが、ヤン・ウェンリーの伝記を書けといわれたら、笑うか怒り出すかしただろう。比べようとするのもばかばかしいような比較だけれど。

ぼくは、いつか、『銀河英雄伝説』の解説を、自信をもって書けるようになれるだろうか。ちょっと困ったことには、この文庫版は最終決定版だそうなのだが。

二〇〇八年五月五日

道を歩いていたら、向こうから東京創元社の方がやってきた。ずいぶん、よく会うなと思ったけど、似たようなところを歩きまわっているのだから、会わない方がむしろ奇妙だとあとで気づいた。文庫も順調に巻を重ねているのを見かけていたから、すっかり安心しきっていた。ちょっと残念、という気持ちもあったが、こういうことは、信頼のおける人にまかせるのが一番だ。だから、

「外伝の解説書かない」

と、言われたときには、あらためて、この人は何を言いだすのかという目で見てしまった。

「はあ」

と、いうやる気のないぼくの返事に、東京創元社の方はまゆをひそめた。

「ぼくが何か書こうにも、もうみんな書かれてしまっているので、どれだけ好きかを書くくら

いしかないですよ。ただ好き好き言ってるだけの解説なんて誰が読みたいもんですか」

　東京創元社の方は僕を見つめ、

「円城、円城」

　と、二度名前を呼んだ、というのは無論嘘で、なんだかそういう風に聞こえたというのもまた嘘なのだけれど、そういうことにしておこうと、ぼくが思ったことは、一応事実だ。

「それでいいよ」

　という返事は、たぶん、大度《たいど》というものなのだろう。では受けさせていただきます、と素直に言えないのは、ぼくがどこかへ向けて、一応成長をしているという証拠ではないかと思う。どっちの方へかは深く考えないようにしている。

「『ユリアンのイゼルローン日記』なら」

「『イゼルローン日記』か」

　と、答えて、なにごとか考える様子の、東京創元社の方をじっと見てみた。この時点でだいたいのところはバレてしまっているのだろうな、と思うのだけれど、こんなことはバレない方がおかしい。ただ、あまりにも単純すぎて、気づけないことは意外とあって、これは開き直りというものだ。

「すっかり人が悪くなったもんだ」

「周囲の影響のおかげです」

お前の考えることなどお見通しだ、という視線をうけながらして、そう答えてみたものの、ぼくが、『銀河英雄伝説』の中で一番好きな巻が、『イゼルローン日記』だというのは本当なのだ。繰り返し読んだ回数が、いちばん多い。第一、短いのがいい、と言うと呆れられるだろうけれど、いきなり十巻読み始めるのはちょっと、という人にすすめるには、最適の巻だと思う。

東京創元社の方は、笑っていってしまったので、本当に解説を頼まれたのかは、結局よくわからなかった。

二〇〇八年九月一日

今日は、東京創元社の方と、メールのやりとりをしていた。最後に、そういえば思い出したというように、正式に解説を依頼された。なるほど、と思ったが、どうしてそう思ったのかはよくわからない。『銀河英雄伝説』は、忘れたころにやってくる。とりあえず、自分がうろたえているようなので、早目に寝ることにした。

二〇〇八年九月四日

家の本の山を取り崩して、外伝の二巻を発掘した。ぼくが持っているのは当然、トクマ・ノベルズ版になるわけで、かれこれ二十年間、一緒に移動を続けてきたことになる。引っ越しの多い暮らしをしていたせいで、中学生時代から残っている本は、ずいぶんすくなくなったのだけど、その間、そばから離れたことがいちどもない。そう言いながら、結局三巻目を発見することができなかったのは秘密ということにしておきたい。

公表されているユリアンの日記は、七九六年の十二月一日から七九七年の四月十五日までの日付をもっている。これは、正伝一巻の末尾、ヤン・ウェンリーがイゼルローン要塞司令官・兼・同盟軍最高幕僚会議議員というややこしい役に任じられ、正伝二巻、救国軍事会議がハイネセンを実効支配下におくまでの期間にあたる。具体的には、二巻の始まりから一二一ページあたりまでのできごとが、ユリアンの目を通して語られているということだ。おおざっぱには、アムリッツァ戦役終息から、クーデター勃発まで、ということにしてもよい。

こうして確認してみると、それだけ盛りだくさんのできごとが、開幕から二巻のうちに起こってしまっていることに驚かされる。『三国志』だって、『水滸伝』だって、冒頭はのどかにやっているのであり、この展開のはやさは他者の追随を許さない。他方で、その速度を全く気づかせないところに、田中芳樹の魔術的な手際があるはずなのだが、これがどういうことなのか、ぼくはいまだにうまく考えることができないでいる。

ユリアンが日記を書き出した理由は冒頭にはっきり書かれていて、イゼルローン要塞への引っ越しを機に、記録を残すことにしたらしい。この年、ユリアン・ミンツは十四歳。ぼくは、ユリアンよりすこし年上の時期にこの日記を読み始めて、今は、ヤン・ウェンリーの年齢を超えてしまった。つくづく不思議なものだと思う。

公表されている日記は、ユリアンが最初の戦いにのぞむところで終わるわけだが、彼が、そのあとも日記を書き続けたのかはよくわからない。几帳面な性格から考えて、しばらくはこのまま書き続けたのではないだろうか。

ヤン・ウェンリーは、それなりの分量の文章を残したわけだが、そのほとんどを、ぼくらは閲覧することができずにいる。これはたぶん、後世の歴史家の怠慢のせいではないかと思う。数すくない、当時をつたえる資料の中で、もっとも重要なもののひとつが、このユリアンの日記であることはまちがいない。この日記は、後にヤン・ウェンリーのメモワールをまとめることになるユリアンから見たイゼルローンの回想ではなく、イゼルローン要塞に暮らす十四歳の少年の目から見た、日常の光景を記したものだからだ。

ただし、ただの少年の日記というわけにはいかないところが、ユリアンのユリアンたるところでもある。後に有名になる無名の少年の手記ではなく、後に有名になる、すでに有名な少年の日記であるところにうらみがある、という向きがあるかもしれない。

そんなことを言われてもな、とユリアンだって苦笑するだろう。

二〇〇八年九月十一日

気がつくと、『イゼルローン日記』を読み返していたはずが、『落日篇』までを読み返してしまっていた。それは、解説なのだから、一、二巻を読み返すのは当然としても、全部読み返す必要はないといえばない。そう言っていられないのが『銀河英雄伝説』の性質というもので、とても危険だ。姿が見えなくなっていた三巻目を文庫版で買いにいき、一、二巻目も一緒に買ってしまった。そうするともう歯止めがきかず、最後まで買い直して一息に読んでしまった。二十年前とやっていることが変わらない。

進歩がないのさ、ということになりそうだけれど、人は宇宙に出ても、あいも変わらず同じことをしているだろう、というのと同じくらいに、これはもう人間の習性として、しかたのないことだと思う。読み終わって考えてみたが、やっぱり二十年後にも同じことをしているだろうと思う。一息に読むのが悪いのだ、という意見はたぶん正しい。でもこの外伝を読んで二巻を読み直したくならない人がいたら、ぜひ会ってみたいと思う。

本当は、二十年といわず、解説を書くあいだに、また読みかえしてしまうのではないかとすこしこわい。参照するたびに全部を読み返してしまうようだと、締め切りに間に合うはずがないからだ。

「締め切り以外のことはたいがい守る」

これはヤン・ウェンリーの言でもユリアンの言でもない。念のため。

二〇〇八年十月二十七日

さすがにそろそろ書き出さないと、締め切りに間に合いそうにない。これはいけないというので、外伝をとりあげてみたものの、またもや読んでしまっていた。もうどうにもしようがないので、過去の日記を引っ張りだして、体裁を整えることにしたい。最初から、それをもくろんでいた、なんていうことはない。日記をつけていたというのは本当だけど。

ページをめくりながら数えてみたが、ユリアンは日記をけっこう長く書く。原稿用紙に換算して五、六枚を書くこともめずらしくなく、これは普通に考えれば一時間や二時間はかかる分量だ。ポプランとシェーンコップを師に持ちながら軍務をこなし、ヤン・ウェンリーの身の回りの世話を焼きながら、体調を崩したときと、緊急時以外はこつこつ日記を書いていたのだ。十四歳の少年にしては、驚異的だと思えるのだが、憧れの対象を持つ十四歳の少年にしか、できないことのようにも思える。

その元気の源が、どこにあったのかを、ぼくらはこの外伝と、正伝の中に見出すことができる。

アレックス・キャゼルヌの見立ては、やっぱり正しかったのだ。

「二人前食べるような奴には見えなかったな」

ヤン・ウェンリーだって、そう言っている。別に、ここで、ユリアンの大食いを指摘しようというわけではない。よく食べ、よく考え、よく戦う。これは、健全な少年の健全な日記だ。たまに非難の対象になることもある、健全、という言葉だけど、今のぼくらに必要なのは、健全という、その言葉のようにも思える。

正伝二巻は、同盟と帝国が戦火を交えることのなかった唯一の巻にあたり、ユリアンにも貴重な日記をしるす時間が与えられた。彼らや彼女らが、このあとどんな激動に巻き込まれていったのかは、誰もが広く知るところだ。それでも、この日記を読み終えたあなたはまた、正伝を手に取ることになるわけである。

本書は一九八七年にトクマ・ノベルズより刊行された。九八年には『銀河英雄伝説外伝1　星を砕く者』と合冊のうえ四六判の愛蔵版として刊行。二〇〇二年、徳間デュアル文庫に『銀河英雄伝説外伝VOL.4, 5［ユリアンのイゼルローン日記上・下］』と分冊して収録された。創元ＳＦ文庫版では徳間デュアル文庫版を底本とした。

検　印
廃　止

著者紹介　1952年，熊本県生まれ。学習院大学大学院修了。78年「緑の草原に……」で幻影城新人賞受賞。88年《銀河英雄伝説》で第19回星雲賞を受賞。《創竜伝》《アルスラーン戦記》《薬師寺涼子の怪奇事件簿》シリーズの他，『マヴァール年代記』『ラインの虜囚』『月蝕島の魔物』など著作多数。

銀河英雄伝説外伝２
ユリアンのイゼルローン日記

2008年12月26日　初版
2023年２月３日　14版

著者　田《た》　中《なか》　芳《よし》　樹《き》

発行所　（株）東京創元社
代表者　渋谷健太郎

162-0814/東京都新宿区新小川町1-5
電話　03・3268・8231-営業部
03・3268・8204-編集部
URL　http://www.tsogen.co.jp
振替　00160−9−1565
DTP　フォレスト
暁印刷・本間製本

ISBN 978-4-488-72512-9　C0193

第1回創元SF短編賞佳作

Unknown Dog of nobody and other stories◆Haneko Takayama

うどん キツネつきの

高山羽根子

カバーイラスト＝本気鈴

◆

パチンコ店の屋上で拾った奇妙な犬を育てる
三人姉妹の日常を繊細かつユーモラスに描いて
第1回創元SF短編佳作となった表題作をはじめ5編を収録。
新時代の感性が描く、シュールで愛しい五つの物語。
第36回日本SF大賞候補作。

収録作品＝うどん　キツネつきの，
シキ零レイ零　ミドリ荘，母のいる島，おやすみラジオ，
巨きなものの還る場所
エッセイ　「了」という名の檻褸の少女
解説＝大野万紀

第1回創元SF短編賞受賞

Perfect and absolute blank:◆Yuri Matsuzaki

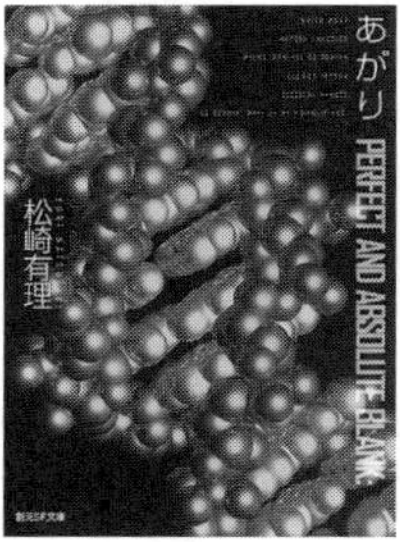

あがり

松崎有理

カバー＝岩郷重力＋WONDER WORKZ。

◆

〈北の街〉にある蛸足型の古い総合大学で、
語り手の女子学生と同じ生命科学研究所に所属する
幼馴染みの男子学生が、一心不乱に奇妙な実験を始めた。
夏休みの研究室で密かに行われた、
世界を左右する実験の顚末は？
少し浮世離れした、しかしあくまでも日常的な空間——
“研究室”が舞台の、大胆にして繊細なアイデアSF連作。

収録作品＝あがり，ぼくの手のなかでしずかに，
代書屋ミクラの幸運，不可能もなく裏切りもなく，
幸福の神を追う，へむ

創元SF文庫の日本SF

SF史上不朽の傑作

CHILDHOOD'S END◆Arthur C. Clarke

地球幼年期の終わり

アーサー・C・クラーク

沼沢洽治 訳　カバーデザイン＝岩郷重力＋T.K

創元SF文庫

◆

宇宙進出を目前にした地球人類。
だがある日、全世界の大都市上空に
未知の大宇宙船団が降下してきた。
〈上主〉と呼ばれる彼らは
遠い星系から訪れた超知性体であり、
圧倒的なまでの科学技術を備えた全能者だった。
彼らは国連事務総長のみを交渉相手として
人類を全面的に管理し、
ついに地球に理想社会がもたらされたが。
人類進化の一大ヴィジョンを描く、
SF史上不朽の傑作！

パワードスーツ・テーマの、夢の競演アンソロジー

ARMORED

この地獄の片隅に
パワードスーツSF傑作選

J・J・アダムズ 編
中原尚哉 訳
カバーイラスト＝加藤直之
創元SF文庫

◆

アーマーを装着し、電源をいれ、弾薬を装塡せよ。
きみの任務は次のページからだ――
パワードスーツ、強化アーマー、巨大二足歩行メカ。
アレステア・レナルズ、ジャック・キャンベルら
豪華執筆陣が、古今のSFを華やかに彩ってきた
コンセプトをテーマに描き出す、
全12編が初邦訳の
傑作書き下ろしSFアンソロジー。
加藤直之入魂のカバーアートと
扉絵12点も必見。
解説＝岡部いさく

星雲賞・ヒューゴー賞・ネビュラ賞などシリーズ計12冠

Imperial Radch Trilogy◆Ann Leckie

叛逆航路
亡霊星域
星群艦隊

アン・レッキー　**赤尾秀子 訳**

カバーイラスト＝鈴木康士　創元SF文庫

◆

かつて強大な宇宙戦艦のAIだったブレクは
最後の任務で裏切られ、すべてを失う。
ただひとりの生体兵器となった彼女は復讐を誓う……
性別の区別がなく誰もが“彼女”と呼ばれる社会
というユニークな設定も大反響を呼び、
デビュー長編シリーズにして驚異の12冠制覇。
本格宇宙SFのニュー・スタンダード三部作登場！